D1000747

LES INVISIBLES

MARTIN WINCKLER

LES INVISIBLES

Fleuve Noir

Ouvrage également disponible en version numérique

ISBN : 978-2-265-08381-3

À Pascal et Olivier,
en souvenir de Patrice

AVERTISSEMENT

Ce roman se déroule à Montréal. Cependant, malgré ses emprunts et clins d'œil à la réalité, c'est une œuvre de fiction. Il n'y a ni parc Duplantie, ni rue Jacques-Ferron entre Parthenais et d'Iberville ; il n'existe pas de foyer d'hébergement pour itinérants sur Ferron et Ontario. De même, l'immeuble du 2910 boulevard Édouard-Montpetit n'a pas de cinquième étage ; le lecteur ne pourra donc en aucun cas y visiter les bureaux du CRIE, ni rencontrer les personnages qui y travaillent. Enfin, les situations décrites et leurs acteurs sont tout à fait imaginaires.

On notera, par ailleurs, que le docteur Charly Lhombre était déjà l'un des protagonistes de *Mort in vitro* et de *Camisoles* (Fleuve Noir, 2003 et 2006). S'il n'est pas nécessaire d'avoir lu les romans précédents, on gardera en mémoire qu'à son arrivée à Montréal Charly n'en est pas à sa première affaire criminelle.

M.W.

PROLOGUE

Tourmens, septembre 2009

Debout, dans la lumière du parc, Charly ferme les yeux.

Il revoit l'antique Torpédo blanche s'éloigner dans un nuage de poussière.

Jean Watteau avait pris le volant ; Claude de Lermignat et Raoul d'Andrésy s'étaient installés à l'arrière. Tous trois portaient vêtements et chapeaux d'été, comme s'ils voguaient vers les Tropiques.

Et il s'entend, quelques jours plus tôt, leur demander :

— Tu... vous allez faire *quoi* ?

— Le tour du monde, a répondu Watteau.

— Tu es sérieux ?

— Nous sommes tous très sérieux, a déclaré Claude de Lermignat sur un ton qui se voulait consolant.

Elle venait de leur servir le thé. Assis dans un des fauteuils à oreilles, son compagnon, Raoul d'Andrésy, beau septuagénaire aux cheveux blancs, scrutait d'un regard un peu absent les bûches empilées dans la grande cheminée.

— Vous l'accompagnez ? a demandé Charly timidement en s'adressant à la vieille dame.

— En réalité, c'est l'inverse : Jean nous accompagne. Raoul et moi avions toujours voulu faire ce voyage mais, depuis qu'il va moins bien, c'est devenu difficile.

Un sourire aux lèvres, Jean Watteau a sorti de son attaché-case une carte-planisphère, l'a étalée sur la grande table du salon et, en se frottant les mains, a déclaré :

— Comme je suis sans boulot depuis hier, je me suis dit que c'était l'occasion ou jamais. Regarde ! On va partir à la poursuite du soleil, comme Marc Dacier dans les albums de Paape et Charlier : Bruxelles, Londres, Dublin, le bateau jusqu'à New York, Chicago, Las Vegas pour passer dire un petit bonjour à Gil et Sara, puis Los Angeles, San Francisco, Hawaii, Tahiti, Tokyo, et de là, la Thaïlande et l'Indonésie...

— Et vous avez l'intention de faire ce voyage en combien de temps ? Quinze jours ?

Jean s'est redressé, il a souri, posé la main sur l'épaule de son ami et murmuré : « Non, mon vieux... Nous allons prendre notre temps. (Il a tourné la tête vers le vieil homme assis dans son fauteuil.) Je pense qu'on en a pour quatre à six mois. »

Charly est resté bouche bée.

— Voulez-vous nous accompagner ? a demandé Claude.

— Je n'ai pas vraiment les moyens...

— Nous les avons, et tu es invité, toubib ! a lancé Raoul, soudain plus présent, sur un ton enjoué.

Le soleil se couchait sur le château et un rayon orangé éclairait à présent la grande cheminée.

C'est l'heure où il sort un peu de sa torpeur, s'est dit Charly en pensant tristement à la maladie qui plongeait peu à peu le vieil homme dans le silence. Beaucoup de patients atteints de maladie d'Alzheimer sont plus agressifs, plus confus le soir ; Raoul, lui, semble regagner lucidité et énergie quand vient le crépuscule. Depuis qu'il est malade, il va souvent mieux le soir et la nuit que pendant la journée.

Charly a regardé Jean et tenté de scruter les pensées de son ami. Il a deviné combien Watteau se sentait partagé. Démis de ses fonctions après avoir mené trop loin une instruction qu'on lui avait fortement conseillé d'enterrer, le juge Watteau avait envie de quitter Tourmens. Il aurait certainement été heureux que son ami les accompagne, mais Charly n'a pas voulu parasiter ce qui serait probablement le dernier voyage de Raoul avec celui qu'il a toujours aimé comme un fils.

— Non, je vous remercie tous les trois, mais je ne peux pas quitter mon boulot comme ça… Quand partez-vous ?

Le regard du juge Watteau s'est tourné vers sa mère, qui a hoché la tête.

— Après-demain. Le temps de faire nos valises.

— Une fois que la décision est prise, pourquoi retarder le départ ? a ajouté Claude de Lermignat.

Charly a acquiescé et, après un simple signe de tête en guise d'excuse, il a franchi l'une des portes-fenêtres du grand salon, a dévalé les marches de la terrasse et, les mains dans les poches, s'est dirigé vers le fond du parc pour cacher son chagrin.

*

Cela faisait plusieurs années que Jean et Claude avaient invité le jeune médecin légiste à vivre avec eux au château de Lermignat. Depuis que Raoul est venu se joindre à eux, juste après le diagnostic de sa maladie, Charly s'est beaucoup investi, en ami autant qu'en praticien, dans la prise en charge du beau vieil homme. Il aime beaucoup Raoul. Son trouble passé d'aventurier, les récits de ses nombreux voyages, son humour, sa tendresse envers sa compagne et le fils de celle-ci et la dignité avec laquelle il a d'emblée fait face à l'altération progressive de ses fonctions mentales ont toujours profondément ému Charly. Raoul reste en permanence d'un calme impressionnant, même lorsqu'il ne comprend plus qui se trouve devant lui, ce qu'on lui dit et ce qu'il fait là. Au moment où ils ont décidé de partir, il avait encore de très bons jours, pendant lesquels il se comportait de manière presque normale, proposait son bras à Claude pour l'accompagner dans le parc et l'écouter tranquillement lui parler de tout et de rien, s'installait dans un fauteuil après la promenade pour lire ou écouter de la musique, passait à table et bavardait comme si de rien n'était, avant d'aller se coucher tout aussi calmement. Mais certains matins, il se réveillait sans un mot, restait assis, prostré, au bord de son lit, jusqu'à ce que Claude l'aide à descendre l'escalier en pyjama, et le fasse asseoir dans l'un des fauteuils du salon. Il restait là, silencieux, immobile, pendant toute la journée. Et lorsque Claude ou Jean – qui, ces jours-là, se relayaient en permanence à ses côtés – se penchait vers lui, il hochait la tête avec un sourire triste et murmurait : « Ça ne va pas fort... »

Ce soir-là, lorsque Charly a regagné le château après avoir pris l'air dans le parc, Raoul l'attendait, sur la terrasse, les mains derrière le dos.

Son visage mince et bruni de vieil aventurier était tourné vers l'horizon et ses yeux clairs brillaient de reflets orangés.

— Je crains qu'on ne se revoie pas de sitôt, toubib, a dit Raoul en se hissant sur la pointe des pieds comme s'il allait sauter au bas des marches.

Charly a perçu une émotion inhabituelle dans la voix du vieil homme.

— Je voulais vous dire... même si je perds la mémoire, j'ai été très sensible à ce que vous avez fait pour moi, et... je voulais vous témoigner ma reconnaissance.

Charly n'a pas su quoi répondre. Raoul s'est tourné vers lui et lui a tendu l'objet qu'il tenait caché derrière son dos. C'était un volume relié d'une belle couverture blanche.

— Pour vous tenir compagnie quand nous serons partis.

— *Le Triangle d'or... L'Île aux trente cercueils...* Qu'est-ce que... ?

— Vous les avez lus ? a demandé Raoul.

— Non...

— Alors, vous allez adorer. Je ne vous dis que ça.

Charly a ouvert le volume et y a trouvé une dédicace :

« À mon "neveu" Raoul, ces aventures que son père m'a racontées. Affectueusement. Maurice L. »

Charly a relevé la tête.

— C'est un...

— Un exemplaire auquel je tiens beaucoup, l'a interrompu Raoul. Ne dites rien, toubib, s'il vous plaît. Je suis heureux de l'offrir à un homme que j'estime. Vous m'avez toujours traité avec amitié et respect. Je vous le revaudrai aussi longtemps que je le pourrai.

D'un seul coup, la tristesse de Charly s'est dissipée. Si cet homme atteint d'une maladie terrible et incurable trouvait la force de lui témoigner sa reconnaissance, il se devait de lui faire bonne figure. Il a tendu la main à Raoul et l'a serrée avec un grand sourire.

— Je vous souhaite un excellent voyage, à tous les trois.

*

Les jours suivants, surchargé de boulot à l'institut médico-légal de Tourmens, Charly n'a pas vu Jean,

Claude et Raoul, ce dernier étonnamment lucide, préparer leurs valises. Mais chaque soir, lorsqu'il est rentré à Lermignat, il les a trouvés attablés autour de repas légers et de grands verres de vin, une assiette prête pour lui. Le matin de leur départ, à son réveil, ils étaient fin prêts, couvrant les meubles de draps et de housses, planifiant leur itinéraire, réservant par courriel des chambres d'hôtel à Bali et des billets de bateau pour la Terre de Feu.

— Vous êtes sûr de ne pas vouloir rester au château pendant notre absence ? lui a demandé Claude.

— Tout à fait sûr, a répondu Charly. Ça me ferait bizarre de rentrer ici seul ; je vais prendre une chambre en ville. Mais... vous préférez peut-être que je reste ? Est-ce qu'il n'est pas un peu imprudent de laisser cette propriété sans surveillance pendant plusieurs mois ?

— Ne t'en fais donc pas pour ça, a répondu Raoul sur un ton enjoué. J'ai demandé à trois vieux camarades de veiller sur elle. Ils habitent dans le secteur et, comme ils sont à la retraite, ça va les occuper.

— Ah oui ? Et... vous croyez que ça suffira ?

— Tu peux leur faire confiance, a lancé Watteau en recouvrant un fauteuil à oreilles d'un drap immaculé. Personne n'oserait toucher à Lermignat. Ça coûte beaucoup trop cher...

Charly a froncé les sourcils, mais le regard entendu qu'ont échangé Jean et Raoul l'a rassuré. Et soudain, il s'est senti envahi par un terrible sentiment d'abandon qui l'étreignait encore, une heure plus tard, en s'approchant de la Torpédo – dont Raoul venait de replier le toit sans effort – pour saluer une dernière fois ses amis.

— Prenez-nous en photo, voulez-vous ? a demandé Claude en lui tendant son appareil.

Charly s'est exécuté. Sur l'écran numérique, il a vérifié que la photo était bien cadrée ; elle montrait les trois voyageurs souriants et détendus, devant leur coupé d'un autre âge, prêts à parcourir le monde. À croire que le cliché datait des années vingt.

Il a rendu l'appareil à Claude, et l'a embrassée avec affection. Tandis qu'il s'écartait, elle lui a pris la main et y a déposé un baiser maternel.

— Prenez soin de vous, mon petit.

Elle se fait plus de souci pour moi que pour eux...

Après avoir galamment ouvert la portière pour laisser monter sa compagne, Raoul s'est retourné vers Charly et, avec un sourire complice, lui a longuement serré la main. Le médecin s'est senti réconforté de voir le vieil homme en si bonne forme et, en le regardant faire le tour de la voiture pour s'installer au côté de Claude, il a prié le ciel pour que son état reste stable le plus longtemps possible. Et puis, il a serré Jean dans ses bras en murmurant : « T'es un sale con de partir, mais à ta place j'aurais fait la même chose. »

Jean n'a rien répondu. Charly a cru voir ses yeux se brouiller, mais il n'en est pas sûr : les siens l'étaient déjà bien trop.

Quand la Torpédo a franchi les grilles de Lermignat, Charly est resté là, sans bouger, dans la lumière du parc, et il a fermé les yeux.

1

Une chambre en ville

Sherbrooke/Ferron, mercredi 19 mai 2010

Charly ouvre les yeux.

Le soleil l'a ébloui à sa descente du bus. De l'autre côté de la rue, il voit un parc. Ce n'est plus celui du château de Lermignat mais un parc public, vert et ombragé. Six mois ont passé, il est à Montréal. Le feu est rouge, il traverse la rue Sherbrooke devant le bus 24, qui vient de le déposer, et remonte la rue Ferron, côté maisons. Son sac à dos est lourd et frotte douloureusement contre la méchante plaie qu'il porte à l'épaule. Il n'aurait pas dû se faire brûler ce nævus juste avant de quitter Tourmens.

Charly longe les immeubles d'habitation. Ce sont des maisons à trois étages, aux façades bardées d'escaliers métalliques et trouées de portes surmontées chacune d'un numéro – chaque bâtiment héberge six à huit appartements.

Il cherche un panonceau portant le n° 3440, finit par le trouver au-dessus d'une double porte, au sommet d'une demi-douzaine de marches conduisant à une étroite terrasse. Il retire son sac à dos de son épaule, masse doucement la zone meurtrie sur laquelle il a collé un pansement de fortune.

Il regarde sa montre. 17 h 45. Il a rendez-vous à 18 heures et n'aime pas être trop en avance. Il fait très chaud. Il n'aurait jamais cru qu'il pût faire aussi chaud, en mai, à Montréal. Il décide d'aller se mettre à l'ombre.

De l'autre côté de la rue Ferron, dans le parc Duplantie – c'est le nom que porte un panneau rouge et blanc accroché à un poteau –, une demi-douzaine de jeunes gens assis en rond jouent des percussions, de la guitare et de la flûte. Plus loin, une famille pique-nique sur de grandes couvertures étalées dans l'herbe. Il aperçoit des flâneurs et des amoureux. Sur le banc que vise Charly, une jeune femme aux cheveux mi-longs vêtue d'un bermuda bleu, d'un tee-shirt rose et d'un mince foulard noué autour de son cou, lit, jambes croisées, un livre à couverture rouge et blanc.

Charly s'assied à l'autre bout du banc. La jeune femme lève la tête brièvement et le salue d'un sourire. Il envisage de lui parler, puis se ravise et décide de ne pas l'embêter. Un peu plus loin, vêtu d'un pantalon usé, de chaussures un peu trop larges, d'un blouson trop épais et d'un bonnet crasseux, un homme s'approche d'une poubelle. Il tient dans une main un sac en plastique translucide dans lequel tintent des canettes en aluminium. Il fouille la poubelle, en sort deux canettes vides et les fourre dans son baluchon de plastique. Charly voit la jeune femme poser son livre sur le banc, ramasser quelque chose par terre, se diriger vers l'homme et lui tendre une canette vide. Il la remercie en portant deux doigts à son front. La jeune femme revient s'asseoir et, au moment où elle reprend son livre, croise le regard étonné de Charly.

— Les *cans* sont consignées, dit-elle.

Charly hoche la tête.

La jeune femme regarde sa montre, soupire, reprend son livre.

— On vous fait attendre ? risque Charly.

Elle se tourne vers lui.

— Non, mais j'aimerais être ailleurs. Là, j'ai accepté de rendre service à une amie, mais ça peut me prendre une heure et j'ai autre chose à faire... Vous êtes arrivé aujourd'hui ?

— Ah, ça se voit tant que ça que je débarque ?

Elle rit.

— Oui, ça se voit à la manière dont vous avanciez dans le parc comme si vous étiez sur une autre planète. Vous êtes français ?

Il rit à son tour.

— Oui, et pourtant ce parc n'est pas très différent de ceux de ma ville. Mais ce n'est pas le parc lui-même, c'est autre chose... L'atmosphère, je crois.

La jeune femme prend un air renfrogné.

— *Hey ! Est-ce que j'ai une gueule d'atmosphère ?*

Charly éclate de rire.

— Malvina, dit-elle en lui tendant la main.

Malvina ? Comme dans Signé Furax ? se dit Charly en souriant.

— Enchanté... Charly Lhombre.

— L'Ombre ? L, apostrophe ?

— L-h-o-m-b-r-e. *El Hombre.* J'ai des ancêtres espagnols.

— De quelle ville venez-vous ? demande Malvina, soudain plus attentive.

— Tourmens. C'est une ville du Centre-Ouest...

— Connais pas. Désolée...

Charly secoue la tête.

— Pas grave. La plupart des Français seraient incapables de la situer...

— Vous êtes en vacances à Montréal ? dit-elle en fermant son bouquin et en le glissant dans son sac.

— Non, je viens travailler à l'université. J'ai pris un… congé sabbatique d'une année, en quelque sorte, et ça me fait tout drôle.

— C'est la première fois ?

— Oui. Et c'est aussi la première fois que je passe plus d'une semaine sans exercer mon métier.

— Vous êtes enseignant ?

— Non, médecin. J'ai reçu une bourse de recherches pour l'année.

Malvina sursaute, ouvre de grands yeux et, timidement, bafouille :

— Oh, mon Dieu ! Vous… êtes venu voir un logement…

— Euh, oui.

— Au 3422 ?

Il désigne l'autre côté de la rue.

— Au 3440…

Elle bondit sur ses pieds et sort un trousseau de clés de sa poche.

— Non, vous allez au 3422. Le 3440, c'est le logement des propriétaires, ils sont absents, ils m'ont demandé de vous accueillir… Oh ! Je suis désolée…

Il se lève à son tour, la rassure.

— Ne vous en faites pas, je ne vais pas vous retenir longtemps, j'ai juste besoin des clés, si je peux emménager ce soir…

— Bien sûr, c'est un meublé, tout est prêt pour vous accueillir.

Ils traversent la rue, passent devant le 3440 et, quelques mètres plus loin, Charly voit la jeune femme descendre prestement une volée de marches qui s'enfoncent dans le sol.

Lorsqu'il pose le pied sur la dernière marche, Malvina est déjà à l'intérieur, elle a allumé le plafonnier et se tient au milieu de la première pièce, aménagée en bureau-bibliothèque. Le plafond est bas. Au fond, de grands blocs d'étagères sont remplis de livres. Trois fauteuils sont disposés autour d'une table basse. Sur un petit bureau trône un ordinateur. Partout, il voit des livres. Ils couvrent les murs, mais d'autres sont entassés en piles régulières tout autour du bureau, comme autant de tours soigneusement édifiées. On dirait que la personne qui y travaille vient de sortir pour aller prendre l'air.

La jeune femme pénètre dans la pièce suivante et Charly la suit. C'est la chambre. Un futon est étalé sur une natte derrière une petite armoire servant de paravent. La salle d'eau ressemble à un grand placard, mais on a trouvé le moyen d'y caser une douche. La troisième pièce est une cuisine plutôt spacieuse. Une table ronde est entourée de quatre chaises paillées. En guise de fenêtres, deux des trois pièces ont des soupiraux à barreaux ouverts sur une allée. C'est un peu sombre mais Charly est ravi.

— C'est Byzance ! dit-il avec un grand sourire.

— Ça vous plaît, vraiment ? demande Malvina.

— Vraiment. Ils m'avaient envoyé des photos, mais c'est beaucoup plus sympa en vrai. J'ai jamais été si bien logé !

En trois pas, il a regagné le bureau. Il s'accroupit devant une pile de livres pour examiner les titres sans bousculer les piles.

— J'ai de la lecture pour dix ans, ici...

Charly voit la jeune femme faire une moue gênée et se redresse, comme s'il était pris en faute.

— Je vais vous laisser...

Il sort son portefeuille de sa poche.

— On avait convenu que je donnerais le premier loyer à mon arrivée...

Malvina fait un geste de la main.

— Ça peut attendre. Vous donnerez ça à Julie ou à Owen.

— Vous êtes sûre ?

— Oui, oui, c'est correct.

Charly sourit. L'expression le surprend, comme l'a surpris d'entendre, depuis son arrivée à l'aéroport, les douaniers, le chauffeur de taxi et la boulangère répondre « Bienvenue » ou « Ça me fait plaisir » quand il leur a dit « Merci ».

— Tenez, dit Malvina en lui tendant un trousseau de clés, vous êtes chez vous.

— Merci... dit-il en la scrutant avec un regard d'anticipation.

— Ça me fait plaisir, répond Malvina, sans comprendre exactement pourquoi il se met à rire. Elle se met à rire à son tour.

— Je ne vous ai pas trop retardée ?

— Non, ça va, mais j'ai promis d'aller aider des amis. Je vais distribuer des repas à des jeunes itinérants, sur Mont-Royal.

— Des jeunes itinérants ?

— Des jeunes qui vivent dans la rue.

Charly hoche la tête.

— Alors, je ne vous retiens pas plus longtemps. Merci encore de m'avoir accueilli.

Malvina hoche la tête à son tour mais reste plantée là, sans vraiment avoir l'air de vouloir s'en aller. Il ne dit rien et ne bouge pas non plus.

— Julie m'a dit qu'elle passerait vous voir demain matin, dit-elle finalement. Ils sont partis voir des amis au Mont-Tremblant, mais ils s'en reviennent dans la nuit.

— Très bien...

Elle hésite, puis poursuit :

— On est très amies. Sa petite vient d'avoir trois ans.

Charly ne s'étonne pas qu'elle lui en dise autant sans qu'il ait rien demandé. Il n'a jamais compris pourquoi, chaque jour ou presque, de parfaits étrangers se confient à lui, mais il a pris l'habitude de ne pas les interrompre, ni de le leur faire remarquer.

— Très bien... Alors... à bientôt ?

— Oui, pourquoi pas. On sera peut-être amenés à se revoir chez eux.

— *Mmhhh.* Dites-moi, est-ce qu'il y a des commerces dans le quartier où je pourrais acheter une brosse à dents, du savon et des rasoirs ? Comme j'ai embarqué très tard, ma valise a raté l'avion, je ne la récupère que demain ou après-demain. Et puis j'aimerais bien grignoter quelque chose…

— Ah ! Remontez la rue Ferron jusqu'à Mont-Royal, vous trouverez tout ce qu'il vous faut. Il y a des fruiteries et un Jean Coutu plus à l'ouest.

— Okay, merci. (Il regarde sa montre.) Ce sera encore ouvert, à cette heure-ci ?

— Oui, bien sûr. Excusez-moi, il faut vraiment que j'y aille.

Et, avant que Charly ait eu le temps de la saluer, elle disparaît dans le rectangle lumineux de la porte.

2

Le camion

Ferron/Mont-Royal, le même soir

Dans la fraîcheur du soir, Charly remonte la rue Ferron. Arrivé sur l'avenue Mont-Royal, il se dirige vers l'ouest. Il est 18 h 30 mais la rue bruit de monde. Aux tables des bistrots, on prend l'apéritif. Des hommes bavardent en groupes, debout devant les vitrines ouvertes des cafés et des restaurants. Dans toutes les salles, de grands téléviseurs sont allumés sur une chaîne sportive. Charly hoche la tête et sourit.

En début d'après-midi, devant lui, dans la file qui s'avançait vers la douane, à l'aéroport Trudeau, deux hommes parlaient de hockey, haut et fort. Quelques minutes plus tard, au bureau de l'immigration où il allait récupérer son permis de travail, le douanier s'est retourné vers un collègue et lui a lancé : « *Go Habs, go* ! » Puis, en voyant l'expression perplexe de Charly, il a précisé : « Le Canadien joue les séries contre les Flyers, cette semaine. » Comme Charly écarquillait les yeux, le douanier, un homme grisonnant portant un uniforme bardé d'une quantité impressionnante d'accessoires (une radio, un bâton, un pistolet, des menottes et d'autres que Charly n'a pas reconnus) a mis de côté le passeport que le voyageur venait de lui tendre, a posé les mains sur son comptoir, s'est penché vers lui et a dit : « Si vous venez travailler au pays, faut que vous sachiez : ici, le hockey, c'est sacré. »

— O... *ckey*, a dit Charly.

Le fonctionnaire a ri de bon cœur et s'est mis à taper sur le clavier de son ordinateur.

— Bon, alors, ce soir, le Canadien – l'équipe de Montréal – rencontre les Flyers de Philadelphie au centre Bell. Avant ça, *on* a battu les Capitals et les Penguins ; mais avant-hier, *ils* ont perdu contre les Flyers. C'est la troisième partie de la série. Et c'est un quatre de sept...

— Je vois, répond Charly, fasciné.

— Et donc, cher monsieur Lhombre, que venez-vous faire dans notre Belle Province ?

— Euh... je retourne à l'école, en quelque sorte.

— Ah oui ? Vous venez étudier ?

— Chercher.

— Et que cherchez-vous donc ?

Il a pensé : *La femme de ma vie, mais j'ai peur qu'elle soit occupée...*

Tout haut, il a répondu : « J'étudie la mortalité des hommes de vingt-cinq à quarante-quatre ans. »

Jacques (c'est le nom en lettres noires sur fond blanc que Charly pouvait lire sur le badge) a penché la tête.

— C'est un sujet sombre !

— Je suis bien d'accord...

— Et pourquoi venir l'étudier au Québec ?

Charly a réfléchi avant de répondre.

— Parce qu'on ne me laisse pas l'étudier en France.

— Ça n'intéresse pas les Français ?

— Si, mais ça n'intéresse personne que *moi*, j'étudie ce sujet-là.

Tout en gardant un œil sur Charly, Jacques continuait à taper sur son clavier. Quelque chose semblait résister à son clavardage, car il s'est mis à répéter la même manœuvre à deux puis trois reprises, avec un soupir agacé.

Charly s'attendait à ce que Jacques finisse par lui dire, poliment mais fermement, que quelque chose n'allait pas, que ses papiers n'étaient pas en règle, qu'il allait devoir – poliment mais fermement – le reconduire vers l'aire d'embarquement et le réexpédier en France, mais soudain, le douanier a planté son index sur une ultime touche et, d'un air content, lui a annoncé :

— Et voilà, monsieur Lhombre. Bienvenue au Québec !

Il a rendu au visiteur son passeport sur lequel il venait d'agrafer un grand carré de couleur portant les mots « Canada », « Immigration », « Permis de travail » ainsi qu'un grand nombre de signes et instructions sur fond de feuilles d'érable.

— Et si vous voulez vous acclimater au mieux, a-t-il ajouté, n'oubliez pas d'aller soutenir le Canadien ce soir ! Au centre Bell, avenue des Canadiens ! *Go Habs, go !*

*

Sur l'écran de télévision que Charly aperçoit au fond d'un café de Mont-Royal, un joueur en habit rouge et blanc poursuit une petite tache noire sur une grande surface blanche. Les hommes accoudés au bar l'exhortent. Deux joueurs en armure orange lui coupent la route, le percutent et le coincent contre la paroi de plastique qui les sépare des spectateurs. Du bar, des hurlements s'élèvent. Charly sourit.

Il déambule le long de l'avenue, traverse les groupes de supporters du Canadien sortis fumer pendant les pauses publicitaires, longe des terrasses dont les tables semblent n'être occupées ce soir que par des femmes de plus de quarante ans, repère mentalement les boutiques : les fruiteries, les bouquinistes, les officines de services informatiques, les vitrines d'appareils électroniques, les boutiques de revente, les friperies et les marchands de chaussures, les pharmacies Jean Coutu, les brûleries, les boulangeries, les crémeries et les innombrables dépanneurs, où l'on peut acheter jour et nuit une plaquette de beurre, un pack de bière, du papier hygiénique, des piles ou un ticket de 6/49 – le loto du Québec.

Charly entre dans une fruiterie, y achète du pain, du fromage, du jambon, des tomates, un ananas, et les engouffre dans son petit sac à dos. Un peu plus loin sur l'avenue, il s'arrête devant un *Dollarama* dont les hautes étagères croulent sous un mélange hétéroclite d'objets usuels. Quand il en sort avec deux sacs en plastique pleins à craquer, il aperçoit un peu plus loin une camionnette portant l'inscription « La nuit dans la rue » et le visage d'un jeune homme. Une douzaine de silhouettes voûtées et mal fagotées font la queue devant la portière latérale du véhicule. Une jeune femme tend à chacun, lorsqu'il se présente, une boîte en matériau isotherme, des fruits, une bouteille d'eau.

Charly s'approche et reconnaît Malvina Hébert. L'homme qui s'est posté devant elle porte une veste et un pantalon troués. Une casquette maculée vert sombre est vissée sur ses cheveux longs. La jeune femme lève la main vers le visage de l'homme, retire la casquette et fait la grimace. L'homme tente de récupérer la casquette, mais Malvina se met à l'apostropher.

— Ben voyons donc ! Tu veux mourir, c'est ça ?

Le mot mourir ne laisse jamais Charly indifférent. Il l'a toujours scandalisé, comme le sort qu'il désigne. « À quoi ça sert de vivre, puisqu'il faudra mourir ? » a-t-il demandé un jour à son père. Il n'avait pas sept ans. Le brave homme a soupiré et répondu : « Je ne sais pas, fils. Je regrette de ne pas avoir réfléchi à ça avant de te mettre au monde. » Et comme il se perdait en conjectures à l'idée que son père tout-aimant puisse regretter de lui avoir donné la vie, Charly l'a entendu poursuivre : « Mettre un enfant au monde, c'est cruel... »

Trente ans plus tard, il pense que son père avait raison. Vivre est parfois d'une cruauté insupportable. Quand on le sait, donner la vie confine au sadisme. Mais celui qui a reçu la vie n'a pas beaucoup d'options. Il peut échapper à la souffrance en se supprimant ; il peut s'en faire complice en fermant les yeux, ou en l'aggravant ; il peut faire de son mieux pour l'atténuer.

Charly sourit à Malvina, s'approche de l'homme, aperçoit une plaie sous les cheveux poisseux de sang séché.

— Je peux vous aider ?

L'homme regarde Charly.

— *T'es qui, toué ?*

— Je m'appelle Charly. Je suis médecin.

— Gerry, viens-t'en donc, dit Malvina, faut soigner ça.

— Voulez-vous un coup de main ? insiste Charly.

Malvina lui lance un regard perdu. Derrière Gerry, les autres attendent leur repas. « Crisse ! Remue-toi ! » crie une femme dans la file.

Malvina tire Gerry à l'intérieur. Les autres se mettent à râler. Charly pose ses sacs et grimpe dans le camion. Il repère les fruits, les bouteilles, le four à micro-ondes entrouvert dont il tire une boîte chaude. Il en glisse une autre dans le four, puis sert l'homme qui trépigne sur le pavé.

À l'arrière du camion, la jeune femme a allumé un puissant halogène, fait asseoir Gerry sur un banc de fortune, ouvert une boîte à pêche. Elle en sort du savon liquide, des compresses, du désinfectant, des strips collants stériles et s'approche de Gerry, qui la regarde avec défiance. Elle commence à nettoyer maladroitement la plaie, mais quand Gerry se met à crier, elle recule, incapable de poursuivre.

— Est-ce que vous m'autorisez à regarder ? demande Charly.

— Fais comme tu veux ! Moi, je le touche plus, marmonne Malvina en colère avant de retourner servir les autres.

Charly regarde Gerry.

— Qu'est-ce t'attends ? demande l'itinérant.

Charly répond :

— Que vous me disiez si vous êtes d'accord ; je peux regarder ?

— T'es-tu vraiment docteur ?

— Oui.

— J'aime pas les docteurs. Ils font des *crisse* de tests sur les pauv' diables comme nous.

Gerry pose les mains sur les genoux et scrute le plancher du camion. La pauvreté, la dénutrition et les autres mauvais traitements qu'il subit ou s'inflige l'ont vieilli, mais Charly devine qu'il n'a pas quarante ans. Son visage lui rappelle celui de Thomas Builds-the-Fire, le jeune *Native American* en vadrouille de *Smoke Signals*. Mais il se garde de faire le moindre commentaire. Gerry n'est sûrement pas d'humeur cinéphile.

— Vas-y, amuse-toi donc, dit-il au bout d'une longue minute silencieuse.

Charly savonne précautionneusement la plaie et décolle les cheveux agglutinés à la peau. À la limite du cuir chevelu, l'entaille mesure presque trois centimètres de long. Comme elle semble toute récente et ne suppure pas, Charly la désinfecte avant de la refermer au moyen de sutures collantes.

— Vous vous êtes blessé quand ?

— *Talleur*. Je me suis cogné à un poteau.

— Il voyait pas clair ?

— Qui donc ?

— Le poteau…

Gerry ne répond pas. Il réfléchit quelques secondes et doit se dire que la blague de Charly n'est pas désagréable, car il sourit enfin.

— Y voyait encore moins clair après.

— *Mmhhh*, fait Charly.

Quand il a fini de coller ses sutures, Charly prend délicatement les mains de Gerry et examine ses ongles les uns après les autres.

— Vous avez du mal à respirer ?

— Ouais. À quoi tu vois-tu ça ?

— À vos ongles… Vous voulez bien enlever votre veste ?

Gerry hoche la tête et retire le denim crasseux de ses épaules. Charly sort un stéthoscope de la boîte à pêche et l'ausculte.

— Vous avez de l'asthme…

— Ouais. Mais tu peux rien faire *pantoute*…

— Peut-être que si… J'ai ce qu'il faut chez moi.

— Où ?

— Euh… 3422 Ferron ? répond Charly en se demandant si sa formulation est bonne.

Gerry sursaute.

— Chez l'autre salaud ? *Gad' ta marde !*

Avant que Charly ait pu répondre, Gerry se lève brusquement et se dirige vers Malvina. Il pose la main sur son épaule, lui murmure quelque chose à l'oreille et sort du camion.

Malvina se retourne, le visage crispé.

— J'ai un flacon de bronchodilatateurs à l'appartement, dit Charly pour s'excuser. Je voulais le lui donner.

— Hey, Doc, tu peux me regarder aussi ?

Une femme d'une cinquantaine d'années lui tend une main boursouflée.

— Venez me montrer ça, dit Charly.

3

Le toubib

Mont-Royal/Chambord, la même nuit

Les souvenirs remontent et me prennent à la gorge. Le départ de Jean, Claude et Raoul, mon arrivée à Montréal, ça allait encore, je pouvais faire illusion. Mais la soirée dans le camion, toute cette misère humaine défilant sous mes yeux, mon impuissance absolue devant ce que ces hommes et ces femmes m'ont mis sous le nez ce soir-là, c'est encore trop frais. Comme toute cette histoire, d'ailleurs. Tout compte fait, elle est encore trop présente pour que je l'écrive à la troisième personne.

Je sais, ça aura l'air bizarre quand un éditeur lira ça – si jamais j'arrive à la fin du manuscrit –, mais j'emmerde les conventions. Ce que je raconte ici n'est pas une histoire à l'eau de rose pleine de bons sentiments, c'est l'histoire à laquelle j'ai assisté et participé avec, il faut le reconnaître, des conséquences irréparables. Autant assumer pleinement mes responsabilités au moment de la raconter.

*

Une fois tous les repas distribués, le camion est reparti. J'avais examiné, pansé du mieux que je pouvais avec la pharmacie de fortune et surtout distribué des bonnes paroles (« C'est-tu tout ce que tu peux faire ? ») à une vingtaine d'hommes et de femmes – des dents abîmées, des yeux infectés, des articulations enflammées, des peaux rongées par les parasites, des poumons encombrés par la poussière et le tabac, des bras et des jambes infiltrés d'œdèmes, des ventres boursouflés par une ascite ou peut-être un cancer de l'ovaire, impossible à dire... La plupart des gens envient l'aptitude qu'ont les médecins de lire la maladie sur le corps des autres. Pour ma part, le plus souvent, je la hais. Je n'arrive pas à marcher dans la rue sans *voir* la souffrance autour de moi. Je n'ai pas seulement quitté Tourmens parce que je ne voulais pas y rester seul. Je suis parti parce que j'en avais assez de passer de la morgue à un cabinet de campagne pour aller rassurer de braves gens sur leur santé en sachant pertinemment dans quel état ils finiront un jour. Dans quel état *je* finirai un jour.

Et voici qu'à peine arrivé à Montréal je me retrouvais plongé dans la même souffrance, dans la même impuissance. Dans le même désespoir.

Bien sûr, comme d'habitude, je n'en ai rien montré. Mais j'ai distribué *larga manu* les antalgiques que contenait la boîte à pêche du camion, et je suis allé à deux reprises au Jean Coutu acheter des pansements et des médicaments sans ordonnance. Malvina m'a dit que je ne devais pas faire ça, que l'association ne pourrait pas me rembourser, qu'elle n'était pas sûre que j'avais le droit de faire des diagnostics et de donner des conseils, car je ne suis pas enregistré au Collège des médecins du Québec, que les hommes et les femmes qui avaient des problèmes sérieux pouvaient se rendre aux urgences de l'hôpital Notre-Dame, sur Sherbrooke, ou à l'Hôtel-Dieu, sur Saint-Urbain, mais je ne me voyais pas leur dire ça sans rien leur donner. Iraient-ils poireauter dans la salle d'attente des urgences s'ils avaient mal, ou bien préféreraient-ils aller picoler pour atténuer la douleur ?

Je me sentais d'autant plus mal que je ne connaissais pas grand-chose, ce soir-là, aux pathologies dont souffrent les itinérants dans les grandes villes. Les quelques SDF alcooliques que j'avais soignés dans la campagne autour de Tourmens constituaient une bien maigre expérience.

Pendant toute la soirée, je me suis demandé comment Malvina pouvait supporter ça. Entre deux « patients », je l'aidais à distribuer les plateaux. D'habitude, elle assurait distribution et soins de première urgence avec Lili, une infirmière à la retraite bénévole, mais elle leur avait fait faux bond ce soir-là et Normand, le chauffeur du camion, était parti à la recherche des habitués qui, à leur arrivée, ne les attendaient pas sur Mont-Royal. Parfois, le seul moyen de s'assurer qu'ils prennent un repas par jour, et qu'ils ne soient pas en train d'étouffer dans leur vomi dans une contre-allée, c'est de les prendre par la main.

Vers 23 heures, nous n'avions plus de repas à servir et j'avais rafistolé la dernière gueule cassée, une toute jeune femme autochtone qui avait été percutée une heure plus tôt par un cycliste lancé à pleine vitesse. Elle avait probablement une ou deux côtes fêlées mais ne voulait pas entendre parler de radio ou d'hôpital. J'avais parlementé longuement pour lui expliquer qu'elle ne devait pas prendre d'aspirine et je lui avais fait un strapping de fortune pour qu'elle n'ait pas trop mal en respirant, mais je priais le ciel qu'elle ne meure pas d'une hémorragie interne pendant la nuit, prostrée dans l'encadrement d'une porte.

Elle s'était dévêtue seulement parce que Malvina avait insisté – elle ne voulait pas que je la voie nue – et elle avait caché sa poitrine sous ses bras pendant tout le temps que j'avais passé à coller tant bien que mal les grandes bandes d'élasto sur sa peau.

J'avais beau avoir fait de mon mieux avec les moyens du bord, je me sentais aussi incompétent, aussi *illégitime* que le soir de ma première garde de porte, quinze ans plus tôt. C'était un sentiment très pénible et je ne comprenais pas bien d'où il venait. D'où il remontait.

Quand Normand est reparti avec le camion, Malvina m'a proposé d'aller prendre une bière à la terrasse d'un café. Mes deux sacs de courses à la main, je me suis senti très bête, j'ai eu d'abord envie de refuser. Qu'est-ce que ça voulait dire d'aller tranquillement boire un coup après *ça* ?

Elle a dû sentir mon hésitation.

— On le mérite bien...

J'ai pensé qu'il serait insultant de la planter là, alors j'ai hoché la tête et je l'ai suivie.

Assis devant nos bières, nous sommes restés longtemps sans parler. Ou plutôt, j'ai passé un bon moment à répondre à ses questions par des phrases de trois mots : de quelle région de France j'étais originaire ? Pourquoi j'avais décidé de venir passer un an au Québec ? Quel métier je faisais à Tourmens ?...

— J'avais deux boulots à temps partiel : médecin généraliste remplaçant et médecin légiste.

— Médecin généraliste... Médecin de famille ?

— Oui, c'est ça. Et un médecin légiste, c'est l'équivalent français d'un pathologiste au bureau du coroner...

— Ah. C'est très différent, non ? Je ne savais pas qu'on pouvait faire les deux.

— Dans les villes de province, en France, c'est fréquent. J'imagine que ça doit être le cas ici aussi, quand on est loin des grands centres.

— Et pourquoi remplaçant ?

— Je n'avais pas de cabinet médical. Je remplaçais des confrères pendant leurs vacances ou quand ils étaient malades.

— Et tu gagnais bien ?

— Je n'ai pas de famille, je n'avais pas besoin de beaucoup. Mais oui, je gagnais bien ma vie.

— Pourquoi venir ici, alors ? Tu ne vas pas pouvoir exercer pendant l'année qui vient, c'est ça ?

— Non. Mais j'ai besoin de prendre l'air. L'atmosphère de Tourmens était de moins en moins bonne pour ma santé.

— La pollution ?

— On peut dire ça. Le maire Esterhazy est une crapule finie, en cheville avec le plus gros industriel de la ville, et il contrôle aussi bien la police municipale que la magistrature locale. J'en sais quelque chose : un de mes amis, qui est juge et qui enquêtait sur une affaire de meurtre dans laquelle avait trempé un proche du maire, a été révoqué il y a six mois. Aucun de ses collègues du tribunal n'a levé le petit doigt ni émis la moindre protestation. Il a démissionné et il est parti faire le tour du monde avec... (J'ai hésité avant de poursuivre :)... ses parents.

— Ah oui ?

Elle a eu l'air de trouver ça touchant.

— Ça me dégoûtait de continuer à travailler pour ce panier de crabes, alors j'ai démissionné de mon poste de médecin légiste. L'an dernier, j'avais déposé ma candidature pour une bourse de recherche de trois mois à l'université de Montréal, et quand j'ai reçu une réponse, on me proposait une bourse pour toute l'année. J'ai sauté sur l'occasion.

— Tu avais le goût de venir au Québec ?

— Oui. Un ami médecin de Jean Watteau, Bruno Sachs, a quitté Tourmens il y a deux ans ; il vit au nord de Montréal et enseigne à Laval. Il est très heureux ici. Il se sent plus écouté, plus respecté ici qu'il ne l'était en France. Ça m'a donné envie de venir.

— Il est médecin, lui aussi ?

— Médecin et écrivain.

— Et il ne voulait plus vivre en France ?

Je n'avais pas très envie de parler de la France, alors j'ai dévié la conversation vers mon désir de voir du pays, de faire des recherches sur un domaine qui m'intéresse (– Les causes de décès chez les hommes de vingt-cinq à quarante-quatre ans. – Tu préfères t'intéresser aux morts plutôt qu'aux vivants ? – Non, je veux savoir pourquoi ils n'ont pas pu vivre plus longtemps...), de goûter à une autre culture et à une autre manière de parler ma langue (– Pourtant, beaucoup de Français disent qu'ici on ne parle pas bien... – Tu sais, dans la région de Tourmens, les villageois ont parfois un parler particulier. Mais je ne vois pas au nom de quoi je dirais qu'ils parlent « mal »... Je ne crois pas qu'on parle « bien » ou « mal », nulle part. Une langue, ça vit. La grammaire, c'est très arbitraire...).

Elle a eu l'air surprise de m'entendre dire ça, et puis elle a fait signe à la serveuse et m'a demandé si je voulais une autre bière. J'ai regardé autour de moi. Le café et la rue vibraient d'excitation (le Canadien avait gagné). Malgré l'heure avancée et le décalage horaire, je n'avais pas très envie d'aller me coucher. J'ai fait oui de la tête.

— Et toi, que fais-tu de beau ? ai-je demandé en me doutant un peu de la réponse.

— Une thèse de doctorat en anthropologie à l'université. Au CRIE.

— Le Centre de recherches interdisciplinaires en éthique ? C'est le centre qui m'a accordé une bourse !

— Je sais...

— Ah bon ?

Elle a regardé le sous-verre comme une adolescente prise en faute. Je me suis tu, en attendant qu'elle poursuive.

— Je fais un travail de recherche sur les itinérants de la région de Montréal. Les circonstances dans lesquelles ils entrent dans la pauvreté, leur origine sociale ou économique, leur état de santé...

— Et... qu'est-ce qui t'a... attirée vers ce sujet ?

Elle a pris une grande inspiration, bu une gorgée de sa bière rousse et répondu pensivement : « Une histoire de famille. »

Je me suis mis à rire.

— C'est toujours une histoire de famille.

*

Elle ne m'a pas raconté son histoire de famille mais s'est arrangée, à son tour, pour faire dévier la conversation vers les milliers d'événements culturels qu'offre Montréal entre avril et novembre, et je me suis félicité d'être arrivé au printemps. Quand nos verres ont été vides de nouveau, elle m'a proposé une troisième tournée, mais j'ai décliné. La fatigue commençait à se faire sentir et j'avais une furieuse envie de dormir.

— Je te raccompagne, a dit Malvina. J'habite à deux rues de ton appartement sur Ferron.

Quand j'ai enfilé mon sac à dos, l'une des bretelles a mordu cruellement la zone encore sensible sur laquelle le dermatologue avait brûlé mon nævus, trois jours plus tôt. Le frottement me faisait un mal de chien, mais je n'ai pas dit un mot jusqu'à ce que nous arrivions à l'appartement. Comme je cherchais mes clés, elle m'a pris des mains les deux sacs de courses et, sans m'attendre, a descendu les marches jusqu'à la porte. Surpris, je l'ai suivie, j'ai ouvert la porte et elle est entrée devant moi. Elle a posé les sacs en plastique, m'a aidé à enlever mon sac à dos et a posé la main sur mon épaule. Ma chemise était gluante.

— Il faut soigner ça.

— Soigner quoi ?

Elle m'a pris par le bras et m'a entraîné vers la salle de bains, a allumé la lumière, m'a placé de trois quarts devant le miroir. Une tache de sang grande comme un dessous de bock maculait le tissu de ma chemisette.

Comme, paralysé de surprise, je ne disais rien, elle s'est mise à extraire les pans de la chemise hors de mon pantalon et, avec un regard mi-maternel, mi-effronté, à la déboutonner.

Je me suis rendu compte que je ne l'avais pas regardée jusque-là, tant j'étais abattu d'avoir vu défiler les hommes et les femmes dans le camion. Elle avait des cheveux noirs qui tombaient sur ses épaules, de grands yeux sombres, une de ces bouches qu'on a envie de goûter et, sur l'une de ses épaules, j'apercevais les bords imprécis d'un tatouage en partie masqué par son débardeur et qui semblait dire « Viens me voir… » Elle m'a fait penser à Lara Flynn Boyle dans *Red Rock West*.

Je ne suis pas Nick Cage, mais je ne suis pas un ange non plus, et je ne m'étais pas tenu si près d'une femme depuis bien longtemps – depuis Dominique, pour tout dire… Mais, trop fatigué ou peut-être trop troublé par sa spontanéité, je lui ai pris délicatement les poignets et, sur le ton le plus doux possible, de peur qu'elle ne se sente insultée, j'ai dit : « Merci, mais… je vais me débrouiller. »

Elle a retiré les mains, son regard s'est voilé de surprise et de perplexité.

— Oui. Bien sûr. Je m'excuse. Je te laisse.

Elle a rougi, s'est écartée, a saisi son sac, m'a regardé un instant et j'ai cru qu'elle allait s'enfuir, mais elle a refait un pas vers moi, a posé un baiser au coin de mes lèvres, m'a souri et a dit : « À bientôt » avant de quitter l'appartement.

Je me suis collé sous la douche pour ôter le pansement maculé. La zone brûlée par l'azote liquide s'était décollée et saignait. J'ai mis vingt minutes à refaire un pansement convenable. Quand j'ai réussi à coller le dernier morceau de sparadrap, mon reflet dans le miroir s'est moqué de moi.

4

The Apartment

Rue Ferron, jeudi 20 mai 2010

Décalage horaire oblige, mon horloge interne m'a réveillé à 4 heures du matin. Trois heures de sommeil, c'était à peine suffisant, alors j'ai essayé de me rendormir mais je me suis mis à tourner dans le lit. Pour passer le temps, j'ai ouvert mon portable et examiné les réseaux wi-fi que j'accrochais. L'un d'eux n'était pas crypté, je m'y suis connecté pour consulter mes courriels. Pas de nouvelles de Jean, mais je n'étais pas étonné : d'après mes estimations, ils devaient se trouver quelque part en Indonésie. Dans ses derniers messages en date, huit jours plus tôt, il me confiait son soulagement en voyant que non seulement l'état de Raoul était stable, mais que le voyage semblait avoir sur sa lucidité un effet extrêmement positif. C'était d'autant plus impressionnant que les patients atteints d'Alzheimer sont très désorientés quand on les change d'environnement. Mais à chaque nouveau rivage, le vieil aventurier semblait rajeunir… et Claude avec lui.

Symptôme intéressant : je n'avais reçu depuis mon départ, trente-six heures plus tôt, aucun message de France, mais plusieurs du Québec. Hugh Osler et

Leonard Landau[1], les co-directeurs du Centre de recherches en éthique clinique de l'université de Montréal, me souhaitaient la bienvenue et se disaient impatients de me rencontrer ; leur collègue Marlon Ducharme m'informait qu'un ordinateur flambant neuf m'attendait dans un bureau rien que pour moi et une note adressée à tous les membres du CRIE annonçait mon arrivée en termes plus que flatteurs. À côté de la soupe à la grimace dont on m'avait gratifié à l'institut médico-légal en apprenant simultanément ma démission et mon départ au Québec, c'était rafraîchissant. Il est vrai que mon amitié et ma cohabitation avec l'incorruptible juge Watteau ne m'avaient pas rendu populaire au sein des milieux médical, judiciaire et policier de Tourmens.

En revanche, je n'avais pas de réponse au message que j'avais envoyé à Dominique deux jours avant de quitter la France. Je suis allé vérifier dans la boîte des messages envoyés qu'il était bien parti, que je n'avais pas rêvé l'avoir écrit, que je n'y avais pas dit de bêtises susceptibles de la blesser. Je l'ai relu :

« Dominique, Je m'envole pour Montréal mardi. Je sais que tu n'habites pas tout près mais si tu m'indiques le chemin, je pense que je saurai arriver jusqu'à toi. Je t'embrasse. Charly. »

À la réflexion, c'était un message stupide. En soupirant, j'ai refermé la boîte courriel.

En évitant de lire les informations venues de l'Hexagone, j'ai surfé sur les sites Web des quotidiens montréalais : *La Presse*, *Le Devoir*, *Le Journal de Montréal* et *The Gazette*. Les principaux articles mis en ligne tard dans la nuit relataient (en français) les manifestations nocturnes des supporters du Canadien après la victoire de leur club et (en anglais) les rebondissements de l'« affaire » politique et judiciaire du

1. Note linguistique : Hugh se prononce Hyou, un peu comme la lettre *u* en anglais. Leonard se prononce Lenned.

moment : une histoire de compteurs d'eau qui éclaboussait le maire de Montréal. Sur toutes les unes (et dans les deux langues), des chroniqueurs fustigeaient la politique du Premier ministre du Canada, Steven Harper, face à une demi-douzaine de sujets épineux. Sur un des sites francophones, une brève a attiré mon attention : un itinérant âgé d'une petite trentaine d'années, Éric Allard, avait été retrouvé sans vie non loin de l'université de Montréal. Le décès remontait probablement à plusieurs heures, et les causes en étaient inconnues à l'heure où le journal avait reçu l'information des services de police. J'ai craint un moment qu'Éric Allard ne fût l'un des hommes que j'avais vus pendant la soirée, mais Malvina avait toujours pris soin de me donner leur nom et je ne me rappelais pas ce nom-là. De plus, tous les hommes qui étaient passés dans le camion avaient (ou paraissaient) au moins la quarantaine. Cependant, même si la camionnette était garée très loin de l'université, je ne pouvais pas m'empêcher de penser qu'avant d'aller mourir Éric Allard avait peut-être fait la queue devant notre camion pour recevoir un repas.

Je me suis branché sur le site de l'université et la page du CRIE. Quelqu'un – Marlon Ducharme, peut-être – y avait déjà affiché le texte que j'avais rédigé pour me présenter, ainsi qu'un résumé de mon projet de recherche. En le relisant, je me suis rendu compte que mes objectifs péchaient par excès d'optimisme : je n'avais pas mentionné les pestiférés de la société dans mon plan de travail ; j'avais pourtant pratiqué l'autopsie de nombreux SDF, au cours des cinq années écoulées. Après avoir été aveugle à leur existence à Tourmens, j'ouvrais les yeux en arrivant à Montréal.

Énervé et angoissé, je me suis levé pour me verser un verre d'eau. Mes logeurs avaient un sens certain du confort et n'avaient pas lésiné sur celui de leur petit meublé. La cuisine était équipée d'appareils flambant neufs, les placards étaient pleins de boîtes de conserve et un paquet d'arabica en grains semblait n'attendre que mon bon vouloir. J'en ai rempli le sommet de la machine à expressos. Le café était excellent. Je me suis demandé si j'étais vraiment dans un meublé ou dans une maison d'amis. D'autant que le loyer était plus que raisonnable : cinq cents dollars par mois, charges comprises. J'avais eu beaucoup de chance de tomber sur pareille affaire.

Ma seconde tasse à la main, j'ai traversé la chambre et suis passé dans la pièce-bibliothèque qui sert également d'entrée au petit appartement. J'ai posé la tasse sur la table basse et je me suis mis à examiner les étagères bourrées de livres.

J'y ai trouvé des biographies, de la poésie, des romans, en majorité publiés au Québec. Mais aussi des livres de sciences humaines, de l'anthropologie, de la sociologie, de l'ethnologie, et même une édition en français de *L'Origine des espèces* de Darwin, datant de 1876 ! Je n'étais pas arrivé ici par hasard. J'ai sorti un essai intitulé *Sex, Time and Power* de l'une des étagères et je me suis remis au lit. Le livre était passionnant ; quand je l'ai reposé, il était 7 h 30. Je suis allé me doucher. Pendant que je me séchais, j'ai entendu quelqu'un frapper à la porte. Je me suis caché derrière le drap de bain et j'ai passé la tête dans le salon. Une femme d'une trentaine d'années m'a fait signe et a glissé une feuille pliée dans la boîte à lettres pendue à l'extérieur, puis elle a disparu.

Une fois habillé, je suis allé récupérer le message. On y avait tracé en vert, d'une écriture régulière : « Bonjour, j'espère que l'appartement est à votre convenance. Voulez-vous s'il vous plaît passer au 3440 ? J'y serai jusqu'à 10 a.m. Julie Leclerc. »

*

Je n'ai pas voulu la faire attendre, j'ai enfilé des chaussures et je suis sorti. Il faisait beau et déjà chaud.

Sur le trottoir, de grands sacs attendaient le passage d'un camion-poubelle. Derrière moi, un escalier métallique a résonné. Une femme descendait précautionneusement l'escalier tortueux cascadant du deuxième étage, un casque de cycliste sur la tête. Elle m'a fait un bonjour mi-endormi, mi-étonné, mais souriant. De l'autre côté de la rue Ferron, le parc Duplantie brillait de rosée.

La porte du 3440 était ouverte. J'ai franchi la petite entrée carrée et mis le pied dans un couloir en parquet recouvert par une étroite moquette. L'intérieur était moins sombre que celui de mon propre logement, mais pas de beaucoup. C'était un grand appartement de style 1930, aux murs recouverts de panneaux de bois vernis, avec des lustres Art déco au plafond. Les livres étaient omniprésents sur les murs du couloir et sur ceux du bureau que j'avais aperçu à ma gauche en entrant ; à ma droite, un salon semblait entièrement consacré à la lecture et à l'écoute de la musique. Un large meuble, sur lequel aurait dû se trouver un écran plasma, portait une chaîne hi-fi datant des années quatre-vingt, des enceintes et un imposant magnétophone à bandes. Une table basse, d'un bois sombre et probablement coûteux assorti à la couleur des canapés et des fauteuils de cuir, était couverte de livres. J'ai passé la tête dans l'encadrement de la porte. Dans un des fauteuils, un homme âgé, au visage émacié, faisait sauter sur ses genoux une petite fille qui criait de plaisir.

J'ai frappé au chambranle. L'homme a sursauté. Il a serré contre lui la petite fille, qui ne devait pas avoir plus de trois ans, s'est levé très vite, a posé des baisers sur son front pendant qu'elle tirait sur les longs cheveux gris qui tombaient sur ses épaules et m'a regardé fixement. J'ai eu le sentiment qu'il avait été surpris, peut-être même effrayé par mon arrivée, et qu'il serrait l'enfant contre lui pour la protéger d'un danger.

C'était un grand beau vieillard au corps frêle et très maigre. Sa chemise blanche et son pantalon étaient beaucoup trop larges pour lui.

Le salon se prolongeait par une salle à manger. Plus loin, au-delà de doubles portes vitrées entrouvertes, une femme se tenait dans la cuisine. Il s'est tourné vers l'arrière de la pièce.

— Julie ! Il y a de la visite...

Sa voix était imprégnée d'inquiétude.

Julie Leclerc est sortie de la cuisine, s'est approchée de nous, et son visage s'est éclairé en me reconnaissant.

— Bonjour, nous ne vous attendions pas aussi tôt !

Elle a regardé le vieil homme.

— C'est le docteur Lhombre, qui va loger... en bas.

Elle a pris la petite fille dans ses bras.

— Bienvenue chez nous ! Vous avez pu vous reposer ? Le *jetlag* ne vous a pas trop fatigué ?

— Ça va bien, je vous remercie...

Le visage du vieil homme s'est rasséréné ; il s'est approché de moi, m'a tendu la main.

— Owen La Chance.... Bonjour, docteur.

— Charly, je vous en prie. Je n'aime pas trop qu'on m'appelle docteur.

— Enchanté, docteur, a-t-il répliqué comme s'il n'avait pas entendu. Voulez-vous un café ?

— Merci, je viens d'en prendre un et il était excellent.

J'ai sorti de ma poche une enveloppe.

— Je suis venu signer le bail et vous remettre le premier mois de loyer, comme convenu.

Owen m'a désigné le canapé de cuir et, pendant que je m'installais, s'est dirigé vers un petit bureau placé devant la baie vitrée ; il est revenu avec une sorte de journal au format tabloïd qui s'est révélé être un bail réglementaire. J'ai regardé Julie Leclerc ; elle murmurait quelque chose à l'oreille de la petite fille. Par la porte vitrée de l'appartement d'en bas, quelques minutes plus tôt, j'avais cru apercevoir une femme d'une trentaine d'années mais de plus près, malgré l'obscurité relative de l'appartement, je voyais qu'elle était plus jeune, vingt-cinq ans tout au plus. La petite fille jasait avec sa mère – elles se ressemblaient terriblement – mais ne parlait pas de manière intelligible, ce qui était singulier pour une petite fille de cet âge. *Et toi, tu ne peux vraiment pas t'empêcher de faire des bilans de compétence*, ai-je pensé avec un certain sentiment de culpabilité devant mon indiscrétion. J'avais cessé d'exercer trois mois avant mon départ pour Montréal. Pendant ces trois mois, j'avais fait tout mon possible pour oublier ma sale habitude de lire le corps et le comportement des personnes qui défilaient devant mes yeux, mais ma consultation improvisée de la veille m'avait rappelé à quel point ça faisait partie de moi. Et combien ça me manquait...

Ce n'étaient pas Julie et sa petite fille qui me mettaient mal à l'aise, ni même l'idée que cet homme âgé de près de soixante-dix ans ait eu un enfant avec une jeune femme qui aurait pu être sa petite-fille – j'en avais vu d'autres. Ce qui me mettait mal à l'aise c'était Owen lui-même.

Il se tenait très droit, un peu trop, et se déplaçait avec circonspection, comme s'il avait peur de trébucher sur des obstacles invisibles. Quand je l'ai vu revenir vers moi, le bail à la main, son visage était crispé et j'ai senti que son corps tout entier était douloureux. Cet homme était malade, et chaque mouvement lui était pénible. Les bretelles et la ceinture qui soutenaient son pantalon me disaient que son amaigrissement récent avait été rapide ; il n'avait pas eu le temps – ou n'avait pas pris la peine – de rafraîchir sa garde-robe.

Il s'est assis près de moi, a déposé le document sur la table basse, m'en a expliqué le contenu en détail, m'a demandé plusieurs fois si j'étais bien installé et si tout me convenait.

— C'est un très bel appartement, très confortable, ai-je dit. Je suis très étonné que le loyer soit aussi abordable...

Il a fait un geste évasif.

— Les chercheurs ne sont pas souvent riches, ça me fait plaisir de leur faciliter la vie quand ils arrivent ici.

— Vous louez souvent cet appartement à des chercheurs de l'université...

Ce n'était pas une question et sa réplique m'a surpris.

— Jamais. C'est la première fois...

Sans cesser de serrer sa petite fille contre elle, Julie s'était assise dans un des fauteuils, de l'autre côté de la table basse, et nous regardait. J'ai vu les épaules d'Owen se crisper et j'ai cru qu'il allait se tourner vers elle mais il s'est contenté de tapoter pensivement le bail.

— J'ai... nous avons décidé de le louer il y a quelques semaines, seulement.

J'ai apposé ma signature à côté de la sienne, il m'a donné une copie du bail, a reçu mon enveloppe de loyer sans en vérifier le contenu.

Je m'attendais à ce qu'il se lève et me raccompagne, mais il m'a regardé droit dans les yeux. Je connaissais ce regard. C'était celui d'un homme qui cherche désespérément quelqu'un à qui parler sans crainte d'être jugé. Je me suis demandé si l'indicible qui déclenchait ce regard était lié à la présence de Julie ou si, au contraire, il voulait profiter de ma présence pour faire, devant témoin, un aveu qu'il n'avait pas pu énoncer jusqu'ici.

Je ne voulais ni briser son silence ni lui forcer la main, alors je n'ai rien dit. Brusquement, j'ai pensé qu'il n'était pas seulement malade, mais mourant. Qu'une saloperie sans nom – un cancer, probablement – le minait depuis plusieurs mois, qu'il le savait, et qu'il avait décidé de ne rien y faire. Je m'en suis voulu de penser ainsi : s'il avait été mon patient, je me serais interdit de faire le moindre pronostic sur son état ou de qualifier son attitude. Mais justement, il n'était pas mon patient, je le rencontrais pour la première fois et l'angoisse ou le désespoir qui l'étreignaient devaient être si forts que j'en avais senti les vibrations dès mon arrivée, en le voyant serrer la petite fille dans ses bras.

Je l'ai vu prendre une inspiration, comme s'il allait parler, mais la petite fille s'est échappée des bras de sa mère, a fait le tour de la table, s'est plantée devant Owen et m'a défié du regard, comme si, à son tour, elle avait voulu le protéger.

— *Livimalooone.*

À défaut de comprendre ses mots, j'ai compris l'intention. Elle me signifiait mon congé. Je me suis levé.

— Je vais vous laisser, j'aimerais aller me présenter à l'équipe du CRIE.

Owen a fait un grand effort pour sourire et m'a tendu la main.

— Je suis heureux de vous accueillir.

Il avait l'air sincère, malgré sa fatigue et la douleur qui l'habitait. Pourquoi, alors, avais-je le sentiment qu'il ne supportait pas ma vue ?

En sortant, j'ai entendu de nouveau la voix de la petite fille dont je ne connaissais pas le prénom. Et j'ai compris soudain qu'elle m'avait dit *Leave him alone.* « Laisse-le tranquille. »

5

La belle équipe

2910, boulevard Édouard-Montpetit

Le site de la STM[1] est bien fait : il suffit de lui donner les adresses de départ et d'arrivée pour qu'il vous indique sur une carte le trajet et les horaires des bus et des métros. De mon nouveau logement, il fallait trente-cinq minutes pour atteindre l'université de Montréal. Je n'étais pas censé me présenter au CRIE avant le lundi, mais j'avais hâte de mettre un visage sur les noms de ceux qui m'avaient invité à passer un an parmi eux.

D'après les horaires en ligne, un bus 24 s'arrêtait au coin de Sherbrooke et Ferron dans moins de trois minutes. J'ai fermé mon ordinateur, je l'ai fourré dans mon sac et j'ai bondi dehors en tirant la porte derrière moi. Je me suis mis à courir en voyant le bus arriver, mais les quatre ou cinq personnes qui l'attendaient n'avaient pas l'air pressées, ce qui m'a donné le temps de l'attraper.

Quand je lui ai tendu un billet, le chauffeur m'a regardé de travers et a désigné la borne électronique

1. Société des Transports de Montréal.

plantée près de son siège. Je devais insérer dans la fente la somme exacte, deux dollars soixante-quinze. Il me manquait dix *cents*. Pendant que je me trémoussais sans savoir quoi faire, une dame âgée, assise tout à côté, m'a fait signe : « Tenez, voilà vos dix sous, mon petit » et m'a glissé une pièce dans la main. J'ai probablement rougi, je l'ai remerciée mille fois et je suis allé me réfugier au fond du bus, sans savoir exactement si j'étais troublé et confus de ne pas savoir prendre le bus à Montréal, d'avoir accepté la pièce ou d'avoir été traité comme un gamin de douze ans.

Il était tôt. L'intérieur du bus était encore frais, contrairement à la navette qui m'avait amené de l'aéroport la veille. On n'était qu'à la mi-mai, mais plusieurs voyageurs des deux sexes portaient des chemisettes et des bermudas. Beaucoup avaient des écouteurs ou des casques sur les oreilles. Rien de bien différent de la ville que j'avais quittée, si ce n'est l'attitude des personnes qui m'entouraient. Toutes regardaient droit devant elles, comme si elles évitaient sciemment de croiser le regard des autres passagers. Ce n'était pas grand-chose, mais c'était suffisant pour que je me sente ailleurs.

À la station de métro Sherbrooke, j'ai pris la ligne orange, direction Montmorency, et changé à la station Jean-Talon pour la ligne bleue, direction Snowdon. À la correspondance, au bas d'un très long escalator, un violoncelliste âgé et bedonnant, au crâne vénérable couronné de longs cheveux blancs, les manches de sa chemise blanche remontées au-dessus des coudes, apostrophait les voyageurs qui glissaient sagement dans sa direction. Il tendait vers eux son archet avec autorité et le pointait ensuite vers le sol devant lui pour leur intimer l'ordre de venir l'écouter. Quand il a croisé mon regard, je n'ai pas pu m'empêcher de sourire, et il m'a ferré. Je me suis approché docilement, j'ai sorti de ma poche un billet de cinq dollars et je l'ai déposé sur la housse de l'instrument étalée sur le sol carrelé. Il s'est incliné devant ma générosité et, en signe de gratitude, s'est mis à jouer – pas très bien, mais avec beaucoup d'entrain – une pièce de musique tzigane qu'il a bâclée en trente-cinq secondes, guère plus. Comme j'esquissais quelques applaudissements rapides, il s'est mis à déverser, dans une langue peut-être slave, une purée de mots mâchouillés desquels jaillissaient des noms de villes prononcés à l'anglaise : *Moscao*, Vienna, *Beurline*. J'ai imaginé qu'il évoquait ses voyages, ses concerts, ses pérégrinations de musicien à travers une Europe disparue, et ça m'a rappelé le documentaire de Frédéric Rossif dans lequel Arthur Rubinstein raconte ses tournées de jeune pianiste virtuose exécutant au piano une douzaine de *Polonaises* pour mieux en séduire quelques autres après le récital.

J'aurais voulu en apprendre plus du vieux violoncelliste mais, à mes questions en français et en anglais, il répondait par le même jargon slavonneux sans vraiment chercher à communiquer : il était perdu dans son voyage dans le temps. J'ai pris congé à regret, la gorge serrée et les larmes aux yeux. Cette bouffée d'émotion m'a perturbé. Je ne suis pas un débutant, j'ai quinze ans de pratique et, en principe, je sais me protéger de l'émotion qui sourd des passants, des patients et des trépassés. Pourtant, en moins de vingt-quatre heures depuis mon arrivée à Montréal, c'était la troisième fois que je sentais les émotions me submerger... au point de décliner les avances de Malvina, la nuit précédente.

Étaient-ce mon départ de Tourmens, mon immersion dans une ville accueillante mais étrangère ou le silence du trio de globe-trotters qui me mettaient dans cet état d'hypersensibilité ?

Incapable d'en décider, un chaos de pensées dans la tête, je suis monté dans la rame de la ligne bleue sans m'en rendre compte. À chaque démarrage et à chaque ralentissement, une voix féminine déclinait le nom de la station à venir. Au moment où la rame vomissait sur le quai un flot d'étudiants, j'ai compris que la voix venait d'annoncer « Université de Montréal ». Je me suis glissé *in extremis* entre les portes.

★

La station a plusieurs sorties. J'ai d'abord pensé suivre les étudiants qui gravissaient les escaliers, mais je me suis souvenu que Marlon avait écrit : « Notre immeuble se trouve au pied de l'université », et j'ai choisi l'issue la moins fréquentée. Debout au milieu du hall de la station, un homme en chemisette coiffé d'un Stetson m'a souri et m'a tendu un journal, *L'Itinéraire*. J'ai levé la main pour refuser, j'ai murmuré que je n'avais pas de monnaie et j'ai détourné la tête. Même quand elles sont vraies, certaines phrases sonnent faux.

À la sortie de la station se dresse un immense panneau portant les trois sigles « Université de Montréal », « HEC » et « École polytechnique » entremêlés de plusieurs tags. « Le bâtiment est celui qu'on aperçoit de l'autre côté du panneau », disait le message de Marlon. J'ai marché jusqu'au coin du boulevard et, en attendant que le feu passe au rouge, j'ai jeté un coup d'œil derrière moi. Au sommet de la colline, orange de lumière, se dressait un immense phallus de béton : le pavillon principal de l'université – siège, entre autres, de la faculté de médecine.

Le 2910 boulevard Édouard-Montpetit est un immeuble à cinq étages, en pierre de taille, d'aspect vénérable et tranquillement imposant. « On le surnomme *The Stone Castle* », m'a écrit Marlon. J'ai poussé une porte de bois et de verre, emprunté un long couloir carrelé puis, tout au bout, un escalier à la rampe de bois et aux marches de marbre (« L'ascenseur est souvent en panne »). Au cinquième, devant une porte ornée d'un logo octogonal entourant les lettres CRIE – Centre de recherches interdisciplinaires en éthique – un grand et bel homme noir à la coupe afro et un sexagénaire au crâne rasé portant de fines lunettes rondes et un nœud papillon parlaient en riant. J'ai pensé : Tif et Tondu. Le chevelu m'a salué.

— Bonjour, je peux vous aider ?

— Charly Lhombre... Je suis chercheur invité...

— Ah, bienvenue, Charly ! Marlon Ducharme. (Il m'a tendu la main.) On t'attendait pas avant lundi ! Tu es arrivé hier ? Pas trop décalé ?

— Ça va, mais je m'ennuyais chez moi, et je me suis dit que j'allais venir faire connaissance...

— Bonne idée ! a lancé l'autre avec un fort accent anglophone. Hugh Osler. *Pleased to meet you.* Je suis un des codirecteurs du CRIE.

À son tour, il m'a donné à deux mains une poignée chaleureuse. Avec son port tout britannique et son nœud papillon incongru, il m'a fait penser à Anthony Hopkins.

— Je suis vraiment très heureux de vous rencontrer. Votre projet de recherche est tout à fait... *fascinating* !

Je me suis senti rougir et j'ai dévié la conversation.

— Osler... Comme le médecin[1] ?

— Oui, mais je ne suis pas un de ses descendants, ma famille est originaire de Vancouver, tandis que Sir William...

— Mais *voyons donc*, tu lui feras ton historique familial une autre fois, a ironisé Marlon. Ces généticiens, ils se prennent toujours pour le centre du monde !

— *Yeah*, heureusement, il y a les écologistes pour leur rappeler la réalité, *right* ?

1. William Osler (1849-1919) est considéré comme la figure tutélaire de la médecine anglophone. Né dans l'Ontario, il exerça en Grande-Bretagne, au Canada et aux États-Unis. Grand enseignant, il fut le premier à imposer que les étudiants en médecine apprennent leur métier au contact du malade...

Ils ont éclaté de rire tous les deux.

— Venez, Charly, qu'on vous présente à nos collègues. Tout le monde vous attend avec impatience !

Ils m'ont fait entrer dans un très long couloir dont presque toutes les portes étaient ouvertes et m'ont guidé vers une petite salle de réunion où un groupe de quatre personnes, plus féminin que masculin, était installé autour d'une table.

— Vous étiez attendu de pied ferme, a dit en se levant une femme grande, mince, coiffée de cheveux bruns longs et frisés, qui lui tombaient sur les épaules. Jennie Chen, je suis anthropologue.

— Et historienne du féminisme… a murmuré Marlon.

Saisissant la perche, j'ai demandé :

— Vous… m'attendiez ?

Jennie a lancé un regard complice à Marlon et, sans lâcher ma main, m'a répondu sans sourciller :

— Comme son nom l'indique, le CRIE est interdisciplinaire, mais depuis sa création il y a dix ans, nous n'avons pas encore accueilli de clinicien. Pour un centre de recherches en éthique, c'est problématique. Votre dossier a été plébiscité : tout le monde a voté pour ! (Elle s'est rendu compte qu'elle tenait toujours ma main dans la sienne et m'a libéré avec un sourire embarrassé.) Vous avez exercé la médecine de famille, c'est ça ?

— Oui… et la médecine légale.

— J'ai vu ça, a dit Marlon. Tu connais aussi bien les morts que les vivants…

— Oh, les morts, on en a vite fait le tour. Les vivants…

— Ouais, ça se laisse pas faire !

Une autre femme s'était levée. Trente ou trente-cinq ans, les cheveux rouge et bleu, et ses bras nus étaient couverts de tatouages, des poignets aux épaules. Un débardeur très court et très moulant et des jeans taille basse laissaient entrevoir que ça ne s'arrêtait pas là.

— Adélaïde Gauvreau, je suis danseuse et professeure d'arts plastiques à l'université ; je dirige un projet de recherches sur les *taggers* du vieux Montréal.

J'ai cherché Jennie Chen des yeux, elle était retournée s'asseoir. Un homme carré, âgé d'une soixantaine d'années, penché sur un ordinateur portable, s'est dressé à demi et m'a tendu la main.

— Leonard Landau est philosophe et bioéthicien, a expliqué Hugh. C'est l'autre co-directeur du CRIE.

Landau semblait préoccupé. Il m'a salué rapidement et a désigné les dossiers empilés sur la table.

— Nous étions en train d'examiner les candidatures pour l'année à venir. Vous nous excusez ? On se verra à l'heure du repas...

Tandis que Hugh se joignait au groupe, Marlon m'a entraîné au bout du couloir, vers un bureau collectif où il m'a présenté deux étudiantes en doctorat – l'une visiblement très jeune, l'autre âgée d'une cinquantaine d'années. Puis il est entré dans son bureau et a ramassé un trousseau de clés posé près de son clavier d'ordinateur.

J'ai désigné le bureau collectif.

— Il y a beaucoup d'étudiants au CRIE ?

— Une douzaine chaque année. Chacun des professeurs en supervise deux ou trois. Aujourd'hui, tu as rencontré tous les profs, sauf Lucie-Anne, qui est chercheuse en multimédia et enseigne la littérature. Elle a accouché il y a trois mois, elle revient la semaine prochaine. Et puis nous avons une demi-douzaine de chercheurs et professeurs invités, dont tu fais partie.

Il s'est arrêté un instant, comme s'il hésitait à dire autre chose, puis m'a fait signe de le suivre jusqu'à la pièce du fond, dont la porte affichait le numéro 510.

— Voici ta caverne.

Le bureau était plus grand que je ne l'imaginais, éclairé par une haute fenêtre. Sur la table en L était installé un iMac flambant neuf.

J'ai levé les bras en signe de surprise.

— Oh là ! Je ne sais pas si je vais savoir me servir de *ça* ! Ça fait quinze ans que je bosse sur PC…

Marlon a pris un air faussement navré.

— Si ça te gêne vraiment de travailler là-dessus, je peux t'installer le vieil ordi que j'ai mis au placard la semaine dernière…

Je me suis assis au bureau et j'ai agité la souris.

Le fond d'écran du Mac représentait une immense étendue d'eau recouverte de brume et, sur la droite, un ponton qui s'avançait dans la mer. Ni navire, ni âme qui vive.

Je me suis tourné vers Marlon.

— Je crois que je vais m'acclimater. Je change de continent, je peux changer de bécane !

6

Missing

J'ai joué avec le Mac pendant plus d'une heure, jusqu'au moment où Marlon est venu me proposer de venir dîner avec tout le monde. J'ai regardé ma montre, il était midi cinq.

— Dîner ?

— Eh oui, t'es plus en France. Ici, le midi, on dîne et le soir, on soupe.

Les autres membres du CRIE nous attendaient dans le couloir. Tous ensemble, nous avons descendu les cinq étages, traversé le boulevard et marché jusqu'au bâtiment de HEC, à une centaine de mètres de là. Dans l'immense hall central, des étudiants faisaient la queue à l'entrée du self. D'autres réchauffaient un repas déjà prêt dans un four à micro-ondes.

Mon plateau à la main, j'ai suivi Marlon vers les tables. Plusieurs membres du CRIE, étudiants et professeurs, commentaient le match de hockey de la veille. J'ai compris que la victoire du Canadien était de courte durée ; les Flyers menaient le club montréalais deux parties à une, tout restait à faire. Leonard Landau, qui s'était assis juste en face de moi, a évoqué son intention d'écrire pour les *Cahiers du CRIE* un article faisant l'éloge des matchs nuls. « Le match nul, c'était une éventualité saine : pas de gagnant, pas de perdant. Depuis que le règlement a changé, cette possibilité a disparu. N'est-il pas contraire à l'éthique que d'acculer systématiquement un club à la défaite ? »

Je me demandais si la proposition d'article était réelle – il l'avait énoncée sur le ton le plus sérieux qui soit, mais, depuis un quart d'heure, je les entendais lancer à tour de rôle des commentaires tous plus farfelus les uns que les autres, et je n'étais sûr de rien – lorsque Jennie Chen s'est assise près de moi, en bout de table et s'est mise à me parler en aparté.

— Vous avez fait la connaissance d'Owen et Julie ?

— Oui, je les ai brièvement rencontrés ce matin... Vous les connaissez ?

— Oui, bien sûr.

Elle m'a regardé, comme si elle attendait un commentaire de ma part, mais j'ai soutenu son regard et j'ai souri sans rien dire.

— Vous êtes bien installé ?

— Très bien. L'appartement qu'ils me louent est magnifique. J'ai l'impression d'être un invité.

— C'est... un peu ça ! Quand Malvina a appris à Julie que vous cherchiez un logement, Owen a proposé de vous héberger.

Elle a dû lire l'étonnement sur mon visage.

— Ah, vous n'êtes pas au courant... C'est grâce à Owen La Chance que le CRIE existe. Nous sommes financés par la fondation qu'il a créée avec sa compagne, Kathleen.

Elle hésite, puis poursuit.

— Elle est morte il y a trois ans.

La représentation mentale que je m'étais faite du trio formé par Owen, Julie et la fillette a vacillé. J'ai hoché la tête en attendant la suite.

— Kathleen était fille de la nation crie. C'est elle qui a eu l'idée du Centre de recherches interdisciplinaires en éthique – et qui a choisi le sigle. C'est elle aussi qui a défini son fonctionnement et la composition facultaire : la parité de genre parmi les professeurs ; la diversité culturelle et ethnique ; l'ouverture sur l'ensemble des disciplines concernées par l'éthique...

— Ah, je comprends pourquoi plusieurs professeurs ici ont deux champs d'activité, ou plus.

— Oh, ça c'est fréquent au Québec, beaucoup plus qu'en France... Au CRIE, un des professeurs au moins doit avoir des ancêtres cris et chaque année deux doctorats ou deux projets de recherche au moins doivent être consacrés aux nations autochtones.

— Ce n'est pas un peu contraignant ?

— Pas avec les sommes que la Fondation nous alloue. Nous sommes l'un des cinq centres les plus richement dotés du Québec. La crise économique ne nous a pas touchés. Owen est très riche...

— Cri, lui aussi ?

— Non, il est originaire de Colombie-Britannique. Il a hérité de la fortune de ses parents, des propriétaires forestiers. Il venait étudier l'installation d'une scierie près de Chisasibi, sur la baie James, dans le nord du Québec, quand il a rencontré Kathleen. Elle avait vingt ans de moins que lui, elle était infirmière dans sa communauté. Il est tombé amoureux d'elle, il voulait l'épouser, lui payer des études de médecine, lui offrir tout ce qu'elle voulait. Elle était amoureuse aussi, mais elle a préféré rester autonome et financer ses études elle-même. Quand elle a eu son diplôme, elle s'est installée avec Owen à Montréal, elle a trouvé un poste dans une clinique médicale et elle s'est spécialisée dans les soins aux femmes autochtones. Beaucoup d'Amérindiens quittent leur communauté pour chercher du travail dans les grandes villes du Québec, et là, souvent, ils sont confrontés à la pauvreté et doivent recourir à l'aide sociale. Les femmes sont souvent acculées à la prostitution. Kathleen avait participé activement au réseau d'entraide des femmes autochtones, mais elle voulait en faire plus. Owen et elle connaissaient Hugh Osler depuis longtemps, ils lui ont demandé de les aider à mettre sur pied un projet de centre de recherches, le CRIE. Quelques années plus tard, ils ont créé une fondation qui a ouvert un foyer d'hébergement pour itinérants d'origine autochtone. Le foyer venait d'être inauguré quand elle est morte...

Elle m'a dit tout ça de manière presque mécanique, en fixant son assiette et sans manger une bouchée.

— Quel âge avait-elle ?

La voix de Jennie s'étrangle et elle détourne la tête.

— Quarante-sept ans.

J'attends quelques secondes, et je risque :

— Que lui est-il arrivé ?

Elle regarde les autres convives pris dans leur conversation, se tourne vers moi et, les yeux embués de chagrin et de colère, murmure :

— Elle a été assassinée.

Quelqu'un m'a adressé la parole. Pendant que je tournais la tête pour répondre, Jennie Chen s'est levée sans un mot, son plateau à la main, et a quitté la cafétéria.

7

Elle et Lui

Nous avions regagné le CRIE. Chacun venait de remplir sa tasse à la machine à café de la salle de réunion et plusieurs des convives s'étaient assis autour de la table pour poursuivre leur conversation. Au moment où j'allais demander si je pouvais trouver une tasse quelque part, une main s'est posée sur mon bras. Jennie me tendait une tasse vide. Elle a murmuré : « Je bois le mien dans mon bureau. » J'ai compris qu'elle m'invitait à la rejoindre. Je suis allé me servir puis, ma tasse à la main, je me suis dirigé vers sa pièce, à l'autre bout du couloir. La porte était ouverte. Sur les deux murs de gauche, des étagères étaient couvertes de livres. Un bureau en L était disposé contre le mur de droite et celui du fond, percé d'une fenêtre. Le mur de droite portait des tracts annonçant des congrès d'anthropologie et des réunions féministes, ainsi qu'une affiche des *Monologues du vagin* dans une version haïtienne représentée à Montréal en 2009...

Assise sur un fauteuil à roulettes, Jennie tournait le dos à la porte. Elle s'est retournée quand j'ai frappé et m'a invité à m'asseoir sur un fauteuil de bois articulé. J'ai aperçu, près de l'ordinateur portable qu'elle venait de fermer, une photo la représentant aux côtés d'une fillette qui lui ressemblait beaucoup.

Elle avait suivi mon regard.

— C'est ma fille, Hypathie.

— Hypathie... Comme la philosophe ?

Elle m'a gratifié d'un grand sourire.

— Vous la connaissez !

— J'ai eu ma période Grèce antique...

J'ai bu une gorgée de café et, désignant le mur, j'ai dit :

— Vous êtes très... très engagée.

— Oui ! Jusqu'au prénom que j'ai donné à ma fille, vous voulez dire ?

J'ai cru sentir une défense dans sa voix. J'ai levé la main en signe de non-agression.

— Ce n'est pas une accusation ou un reproche, juste un commentaire... Un peu bête, d'ailleurs, je le reconnais. Si je vous ai blessée...

— Non. Non, pas du tout. J'ai été une féministe dogmatique et il m'en reste quelque chose, mais je suis plus nuancée aujourd'hui... J'invite même des hommes inconnus à prendre un café dans mon bureau.

J'ai ri de bon cœur.

— Quel âge a-t-elle ?

— Huit ans. (Elle a bu une gorgée de café à son tour puis m'a demandé d'un air pensif :) Et vous, avez-vous des enfants, Charly ?

— Non.

— Mouais. Que vous sachiez...

Pendant quelques secondes, je n'ai pas su quoi répondre. Elle a continué sur un ton très sérieux.

— Les hommes sont programmés pour transmettre leur ADN au plus grand nombre de partenaires possible. Vous ne l'ignorez pas, je pense...

— Euh, non, bien sûr, j'ai un peu lu... Mais je crois que je saurais...

— Pas nécessairement. Les femmes ne veulent pas toujours dire aux hommes qu'ils sont le père de leur enfant. (J'ai cru deviner une certaine malice dans son regard.) On estime que quinze pour cent des enfants nés de parents stables ont un autre père que le compagnon de leur mère. Si vous avez déjà été l'amant d'une femme mariée…

Je me suis demandé où elle voulait en venir. Voulait-elle me mettre mal à l'aise ? Tester mon niveau de machisme ? Marivauder ? J'ai croisé les jambes, je me suis installé confortablement au fond du fauteuil et j'ai opté pour le jeu.

— Ah, je viens de me rappeler que vous êtes anthropologue… Eh bien, à vrai dire, je ne séduis *que* des femmes mariées.

— Vraiment ?

— Bien sûr. Si possible à des hommes très occupés qu'elles aiment profondément. Elles m'apprécient et succombent à mon charme parce que je ne demande rien et lorsqu'elles se sentent coupables, je disparais sans discuter. Comme ça, tout le monde est content.

Elle est entrée dans mon jeu… et, avec un sourire charmant, a pris un bloc-notes sur son bureau.

— Vous permettez que je prenne des notes ? Et, dites-moi… comment faites-vous pour les séduire ?

— Ah, j'ai un truc imparable.

— Oui ?

— Je leur dis que je suis marié. Que mon épouse est très occupée, que je l'aime profondément, et que je comprends donc parfaitement leur situation… puisque c'est aussi la mienne.

J'avais dû parler sur un ton grave, car elle a soudain posé son crayon et m'a regardé, interloquée.

— Vous êtes sérieux ?

J'ai écarquillé les yeux.

— Ce n'est pas ce que vous vouliez entendre ?

Elle s'est mise à rire.

— Touché !

J'ai attendu quelques secondes.

— Vous avez été très affectée par la mort de Kathleen...

Elle est redevenue triste.

— Oui. C'était une sœur, un modèle pour moi. Et je n'aurais jamais imaginé... (Elle s'est reprise, de crainte que je la comprenne mal.) Mais je n'ai jamais cru qu'Owen...

Elle s'est interrompue, a scruté mon regard. J'avais posé ma tasse sur mes genoux, je ne disais rien et je m'efforçais de ne rien laisser paraître. Je ne voulais pas lui tirer les vers du nez, mais je ne voulais pas non plus la faire taire.

— Je ne sais pas pourquoi je vous dis ça aujourd'hui, mais à mes yeux, vous n'êtes pas un chercheur invité comme les autres... Kathleen voulait que des médecins postulent pour des bourses du CRIE. Vous allez vivre dans... Saviez-vous que cet appartement était son bureau ? Elle y travaillait et y dormait quand elle avait envie d'être seule. Et c'est là...

— Non, je l'ignorais...

Soudain, le caractère studieux, accueillant, intime du lieu prenait tout son sens. L'appartement n'avait probablement pas été occupé depuis la mort de Kathleen. Je n'étais pas un simple locataire...

Avec peine, Jennie a poursuivi.

— Je comprends qu'Owen ne vous en ait pas encore parlé... Je ne pense pas que je trahis un secret... Et si c'est le cas, je sais que vous le garderez pour vous... (Elle a planté ses yeux dans les miens.) Tout à l'heure, Malvina nous a raconté ce que vous avez fait hier soir...

— Je n'ai pas fait grand-chose... (Puis, prenant soudain conscience qu'elle la mentionnait pour la deuxième fois depuis que nous avions fait connaissance :) Vous connaissez bien Malvina ?

— Oui, c'est l'une de mes doctorantes ! C'est elle qui, lorsqu'elle a appris que vous cherchiez un logement, en a parlé à Julie et Owen...

— Oui, vous l'avez dit tout à l'heure. À ce sujet, je voulais vous demander... C'est un peu délicat, mais je ne voudrais pas commettre d'impair... Quelles sont les relations entre Julie et Owen ?

— Julie est la compagne de Joshua, le fils d'Owen et Kathleen.

— Ah ! Et la petite fille que j'ai vue chez eux...

— C'est Alice. La fille de Julie et Joshua.

— Je comprends mieux... Ils vivent tous les trois chez Owen ?

— Non... C'est une histoire compliquée.

Je comprenais un peu mieux, mais certaines choses restaient obscures. Jennie a perçu mon trouble et je l'ai vue faire un gros effort.

— Je suis désolée, ça m'est difficile d'en parler, c'est encore tout frais. C'est une histoire si...

— Je vous en prie. J'apprécie votre confiance, mais ne vous sentez pas obligée...

— Si, j'y tiens. Et, à vrai dire, j'en ai envie. (Elle m'a fait un sourire coupable.) Je m'en veux de vous accaparer mais vous êtes médecin...

— Ah bon, vous me parlez seulement parce que je suis médecin ? Ce n'est pas parce que je suis sympathique ?

Elle a mis quelques secondes avant de comprendre que je plaisantais et elle a rougi.

— Les deux...

— Bon, alors ça va...

Elle a posé les mains sur ses genoux, a réfléchi longuement.

— Un soir, Owen et Hugh sont allés présenter un projet au Conseil d'université, Kathleen était seule rue Ferron. Quand Owen est rentré, il l'a trouvée morte dans son bureau de travail. Il a immédiatement appelé les secours et la police, qui l'a malheureusement soupçonné de l'avoir tuée. Dans l'immense majorité des cas, les femmes sont tuées par leur conjoint ou leur amant. Et Kathleen avait été étranglée... Owen est un homme riche, la Sûreté du Québec n'a pas voulu laisser croire qu'il avait droit à un traitement de faveur. Après avoir parlé avec les voisins, ils pensaient avoir des arguments en faveur de sa culpabilité. Kathleen et Owen s'étaient beaucoup disputés au cours des jours précédents, parce que, malgré la prochaine ouverture du foyer d'hébergement, Kathleen envisageait de partir. Ça faisait plus de vingt ans qu'elle vivait à Montréal, elle voulait retourner à Chisasibi s'occuper des membres de sa nation. Elle se sentait coupable d'exercer loin de chez elle et de profiter de la richesse de son compagnon alors que tant d'autochtones sont dans une situation précaire.

— Elle n'aimait plus Owen ?

Le regard de Jennie s'est de nouveau posé sur moi, et j'ai cru y lire une surprise émue. Elle ne s'attendait peut-être pas à ce que je parle d'amour. Mais tout, dans l'histoire qu'elle racontait, parlait d'amour.

— Elle *adorait* Owen. Elle était torturée à l'idée de le quitter, elle m'en parlait sans arrêt. Mais elle était prise dans un conflit de loyauté. Son amant ou son peuple ? Elle était déjà partie, plusieurs années auparavant, et avait laissé Owen et Joshua à Montréal, pour aller vivre sur la baie James... Et puis elle était revenue...

Elle s'interrompt, les yeux dans ses souvenirs.

— *Mmhhh*... Et... Vous croyez que la perspective de la perdre à nouveau aurait pu pousser Owen à la tuer ?

— Non ! s'écrie Jennie. Sûrement pas ! Il n'aurait pas touché à un cheveu de sa tête ! C'est un homme bon et intègre. Il l'a montré en de nombreuses circonstances.

Je suis tenté de faire *Mmhhh* pour en savoir plus, mais quelque chose me dit que ce n'est pas le moment. Les yeux de mon interlocutrice, une fois de plus, se sont embués de larmes. Elle a réprimé un sanglot, son visage a repris sa contenance et elle a poursuivi, après une grande inspiration :

— Il était rentré en taxi de la réunion du Conseil d'université ; le chauffeur a confirmé l'heure à laquelle il l'avait déposé rue Ferron, et les relevés téléphoniques ont montré qu'il avait appelé les secours et la police trois minutes après. Le médecin légiste et la brigade scientifique qui ont examiné le corps de Kathleen et l'appartement ont conclu que, à moins d'avoir prémédité son crime, ou de l'avoir assassinée *avant* de partir à l'université, il n'avait simplement pas eu le temps de la tuer puis d'appeler froidement la police... D'ailleurs, Hugh était passé le prendre avant la réunion et, avant qu'Owen monte dans sa voiture, Kathleen était venue l'embrasser sur le seuil... La police a fini par conclure que quelqu'un s'était introduit dans l'appartement dans l'intention de voler et avait été surpris de la trouver... Owen et Kathleen ne verrouillaient jamais leur porte et, dans la rue, tout le monde le savait.

Quelque chose dans l'explication que venait de donner Jennie m'a semblé bizarre, mais je n'ai pas commenté. La mort de Kathleen la torturait encore, je le sentais.

— Je comprends... C'est terrible qu'on ait accusé Owen de l'avoir tuée...

— Oui, et le plus terrible, c'est que Joshua a cru que son père était coupable...

Jennie s'est levée, m'a tourné le dos et s'est approchée de la fenêtre.

— Quand Owen est sorti de sa garde à vue, son fils l'attendait. Il faisait ses études en France et il était rentré quelques jours plus tôt. Il a trouvé l'appartement grouillant de policiers et entouré d'une horde de journalistes, qui lui ont appris la mort de sa mère et la garde à vue de son père. Lorsque Owen a regagné l'appartement, Joshua l'a battu, c'est un miracle qu'il ne l'ait pas tué. Mais il a dû se rendre compte de ce qu'il avait fait, et quand il a vu dans quel état il avait mis son père, il a fui. Owen n'a pas porté plainte contre son fils, il ne voulait pas que la police l'arrête. Il l'a fait rechercher par des enquêteurs privés, mais ils ne l'ont pas retrouvé... Quelques jours après sa disparition, Julie a sonné à la porte d'Owen. Elle était enceinte de quelques semaines. Elle a expliqué qu'elle vivait en France avec Joshua depuis près d'un an et qu'il lui avait demandé de la rejoindre à Montréal. Owen a été choqué, bien sûr. Certains proches lui ont laissé entendre que, peut-être, Julie ne disait pas la vérité, qu'en l'absence de Joshua, il était impossible de savoir si l'enfant de Julie était le sien, qu'il s'agissait peut-être d'une escroquerie pour tirer profit de sa vulnérabilité et de son désespoir. Mais, pendant vingt ans, Owen avait vu Kathleen s'occuper de centaines de femmes avec une confiance inébranlable. Il a cru Julie sur parole et il l'a accueillie chez lui. Il avait perdu sa compagne et son fils, il ne voulait pas courir le risque de perdre son seul petit-enfant... Aujourd'hui, Alice est son seul réconfort.

Et peut-être le dernier... ai-je pensé.

— Comment l'avez-vous trouvé ? m'a demandé Jennie avec une inquiétude perceptible.

— Qui ? Owen ? (Je me suis redressé sur ma chaise. Est-ce qu'elle attendait confusément de moi un avis médical ? J'ai essayé de donner une réponse aussi vague et aussi acceptable que possible.) Je n'ai pas passé beaucoup de temps avec lui, ce matin, mais je l'ai trouvé... fatigué.

Elle a hoché la tête et je l'ai vue regarder par-dessus mon épaule, en direction du couloir. J'ai entendu des pas se rapprocher, puis s'immobiliser. Hugh Osler se tenait sur le seuil.

— Ah, vous êtes là, docteur ! Attention, vous êtes ici dans l'annexe Wicca du CRIE ! Est-ce que je peux vous arracher à Jennie ? J'aimerais vous proposer de donner une conférence aux étudiants en médecine.

Jennie s'est levée, un peu raide, m'a fait un sourire forcé.

— Merci pour cette conversation...

Elle me donnait congé. Son visage est redevenu impénétrable. Je me suis levé à mon tour.

— Merci de m'avoir... éclairé. Et merci de votre confiance.

Elle a fait un sourire poli à Hugh et quand son regard a croisé le mien une dernière fois, j'ai cru y lire un mélange de reconnaissance et de reproche. J'ai tourné les talons.

8

Sérénade à trois

J'ai tout de suite aimé Hugh. Il n'était pas seulement intelligent et jovial, il était aussi plein d'humanité et, au bout de quelques minutes ensemble, j'avais le sentiment de parler à un ami de toujours. Il m'a raconté sa rencontre, trente ans plus tôt, à l'université de Victoria, alors qu'il était un tout jeune attaché d'enseignement en génétique, avec « le fils La Chance », richissime capitaine d'industrie venu, de son propre aveu, gagner les futurs savants aux intérêts de l'industrie forestière. Au moment des questions du public, Hugh avait violemment interpellé le conférencier sur les coupes inconsidérées que pratiquait l'entreprise La Chance dans les forêts de Colombie-Britannique.

Au lieu de le traiter par le mépris, Owen l'avait invité à boire quelque chose à la cafétéria. Ils s'étaient rapidement liés et, bientôt, Hugh était devenu l'un de ses plus proches conseillers. Pour autant, le biologiste avait toujours refusé de bénéficier des largesses de son ami. Quelques années plus tard, il avait quitté la côte Ouest pour le Québec et un poste de professeur à l'université de Montréal. Ils avaient renoué l'année où Owen et Kathleen s'étaient rencontrés. « Du coup, il s'est retrouvé avec non pas une, mais *deux* Jiminy

Cricket pour commenter ou critiquer ses décisions d'industriel ! » m'a expliqué Hugh en riant. Ses yeux verts pétillaient de plaisir.

— Avait-il vraiment besoin de... conseillers ? Les hommes de ce... gabarit ont peut-être surtout besoin d'amis désintéressés, qui les apprécient pour ce qu'ils sont... Non ?

— *You're right, my friend*, a concédé Hugh. Owen a toujours été un homme loyal, pétri d'intégrité... mais il était l'héritier d'un capitalisme très rigide. Ça n'a pas toujours été facile de lui montrer que ce qu'il décidait pouvait avoir des conséquences dramatiques. Quand il a fait la connaissance de Kathleen, il a été tenté d'abandonner la direction de l'entreprise familiale et de vendre toutes ses parts. Il était si horrifié de découvrir les conséquences de son capitalisme qu'il ne voulait plus en être complice. Mais Kathleen lui a dit : « Si tu fais ça, tu laisseras le champ libre à des gens bien moins scrupuleux que toi. » Il l'a écoutée. En vingt ans, il a imposé à son entreprise une reconversion radicale. Aujourd'hui, c'est une des principales entreprises de décontamination des sols et de préservation des sites au Canada... Sans Kathleen et lui, rien de ce que nous faisons ici ne serait possible.

— Et je ne serais pas en train de bavarder avec vous aujourd'hui...

— Exactement !

Il a hésité un instant et m'a lancé :

— Qu'est-ce qui vous a... motivé pour venir ici ? Vous aviez un bon travail en France, non ? Votre CV est... impressionnant.

— Ah ? Je ne me rends pas compte. Enfin, je ne m'en rendais pas compte avant de vous l'envoyer. Il a fallu que je le rédige pour prendre conscience que je n'avais pas trop perdu mon temps depuis la fin de mes études.

— C'est le moins qu'on puisse dire ! Rédacteur en chef adjoint d'une revue scientifique, médecin de campagne, médecin légiste, enseignant à la faculté de

Tourmens… Vous n'avez pas chômé, comme on dit en français. Mais pourquoi partir ? Et pourquoi venir ici ?

— Parce que… comment vous dire ? Ici, l'espace mental est plus vaste. La France est un pays magnifique, mais ses institutions sont archaïques, imperméables à toute critique et incapables d'une remise en question constructive. Et ça ne se cantonne pas à la médecine ou à l'enseignement, mais à toutes les sphères vives de la société, la presse, la création artistique, l'économie, la justice… Mon meilleur ami, qui était juge d'instruction, en a fait la triste expérience. Je n'avais pas envie de me scléroser, ni de me battre contre des moulins à vent. Une amie médecin, installée au Québec depuis quelques années, m'a parlé du CRIE… (J'ai fait une courte pause en pensant au message laconique que Dominique m'avait envoyé un an plus tôt : « J'ai pensé à toi en me baladant sur le site de ce Centre. Tu devrais envoyer ton CV. Je t'embrasse tendrement. Domi. »)… J'ai lu les objectifs du CRIE, j'ai eu envie d'envoyer un projet, la date de remise était toute proche, j'ai tenté ma chance et voilà…

— Ah, vous avez des amis au Québec ?

— Une amie. Elle ne vit pas à Montréal. Elle a obtenu un permis restrictif, on lui a proposé un poste à Sherbrooke.

— Elle est généraliste ?

— Non, psychiatre.

— Elle ne trouvait pas de travail en France ?

— Oh si, mais elle a préféré quitter le pays après que la clinique qui l'employait a fermé. Une sombre histoire d'expérimentations illégales sur des patients incarcérés[1]…

Hugh a hoché la tête.

1. Cette histoire est racontée dans *Camisoles*, Fleuve Noir, 2006.

— *Really ?* Je n'imaginais pas que ce genre de chose soit possible... Ici, la France a une très bonne réputation.

— Je sais. Mais vues de plus près, parfois, les réputations ternissent...

Il a hoché la tête, perplexe.

— Et pourquoi avoir choisi ce sujet de recherches ? Les causes de décès des hommes jeunes... Il y a eu des études là-dessus déjà...

— Oui, bien sûr. Entre vingt-cinq et quarante-quatre ans, les trois principales causes de décès sont les accidents, le suicide et les cancers. Et je m'intéresse aux autres causes, et surtout, *à ce qu'en disent leurs proches*... Quel *sens* est-ce que ça peut avoir pour les survivants, la perte d'un homme jeune ? Autrement dit : en quoi ces disparitions sont-elles, en elles-mêmes, déterminantes pour les membres de la famille, la petite amie, les amis, les collègues, les camarades de classe... Est-ce qu'un suicide a la même signification qu'un cancer ? Est-ce qu'une mort accidentelle a les mêmes résonances qu'une méningite ?

— Ah, ce que vous voulez étudier, ce sont... les conséquences des causes...

J'ai arboré un grand sourire.

— Vous avez tout compris.

— Je vois... Et comment voulez-vous étudier ça ?

— Grâce à des questionnaires, des interviews... Je m'intéresse aussi à l'impact des autopsies et des prélèvements d'organes... Bref, aux conséquences de la mort sur le vécu des vivants.

— *It's a gigantic project !*

— Oui, mais je m'en rends compte seulement en vous en parlant... Quand je l'ai écrit, je n'ai pas réalisé l'ampleur du boulot...

— Ne vous en faites pas, on va vous aider à vous recentrer !

La conversation a duré longtemps. Ni Hugh ni moi n'arrivions à lui mettre un terme. Il m'interrogeait sur les affaires criminelles auxquelles j'avais été mêlé, et je renchérissais en l'interrogeant sur les comités d'éthique auxquels il participait depuis qu'il était professeur à l'université. Nous avions, tous les deux, beaucoup à partager.

Après un échange sarcastique autour des mœurs comparées de l'université française et de ses homologues nord-américaines, Hugh s'est tu longuement. Il s'était enfoncé dans son fauteuil pour me parler, et j'ai constaté à quel point cet affaissement progressif contrastait avec l'univers bien ordonné dans lequel il travaillait. Alors que les bureaux des autres professeurs du CRIE, d'après ce que j'en avais vu, étaient encombrés par les livres, les revues et (chez Marlon) les plantes grasses, celui de Hugh Osler était un modèle d'ordre. Sur les étagères, les volumes étaient classés par ordre alphabétique d'auteur. En dehors de son ordinateur, il n'y avait rien sur son bureau. Le clavier et la souris sans fil semblaient avoir été cloués pour rester parfaitement alignés. D'ailleurs, son écran était éteint. Et j'étais prêt à parier que si je passais l'index sur le sommet de la porte, je n'y trouverais pas un grain de poussière. Hugh a surpris mon regard circulaire et lâché nonchalamment : « Je ne travaille jamais ici. »

— Vraiment ?

— Ici, je rencontre les étudiants, je règle des questions administratives avec Marlon et Leonard, et j'accueille les nouveaux arrivants. Mais mon vrai bureau est chez moi. Et il n'est pas dans cet état ! Avez-vous rencontré Owen La Chance depuis votre arrivée ?

J'ai hésité avant de répondre.

— Oui, ce matin, chez lui.

Il paraissait tendu et inquiet.

— Comment l'avez-vous trouvé ?

— Chaleureux mais fatigué...

— C'est grâce à lui et à Kathleen, qui fut sa compagne, que le CRIE existe. (Il a réfléchi quelques secondes puis, sans me regarder, a poursuivi :) Il ne vous racontera pas son histoire, c'est trop douloureux pour lui, mais il est juste que vous soyez au courant.

Cette histoire était terrible, et le fait que deux membres du Centre m'en parlent le jour même de mon arrivée me signifiait qu'ils étaient encore sous le choc.

Hugh m'a fait un récit similaire à celui de Jennie, plus retenu, plus sombre, plus haché, insistant sur l'enthousiasme qui l'emplissait quand il était passé chercher Owen et leur satisfaction à tous les deux devant l'accueil que le Conseil d'université avait fait à leurs futurs projets, puis sur son désespoir, le lendemain, en apprenant le drame, et son découragement à l'idée d'avoir à diriger le CRIE après la disparition brutale de Kathleen.

— Elle était l'âme du CRIE. Sans elle, il n'aurait jamais vu le jour. *Damn, without her, Owen wouldn't be who he is*[1].

— Il a beaucoup changé, à son contact ?

— Il est devenu un autre homme. J'ai quitté un homme puissant qui s'était découvert un sens moral. Quand il est arrivé à Montréal avec Kathleen, il avait rajeuni de vingt ans. Il redécouvrait la vie. Et elle était…

Il s'est tu.

Au bout d'une longue minute, il s'est levé, a fait le tour de son bureau et m'a tendu la main.

— Heureux de vous accueillir parmi nous, Charly.

1. *Bon Dieu ! Sans elle, Owen ne serait pas ce qu'il est.*

9

Confidential Report

Au moment où je quittais le bureau de Hugh, Adélaïde Gauvreau sortait de celui de Marlon. Elle est venue vers moi, tout sourire. Ses bras tatoués semblaient couverts de lianes. Ses seins pointaient sous son débardeur.

— Je danse ce soir, à l'occasion du vernissage d'une exposition. Vous aimez la danse ?

Sans attendre ma réponse, elle a sorti un carton d'invitation de son sac et me l'a tendu.

— Ça s'intitule *Intimerrances*. Ça me ferait plaisir de vous voir.

Elle ne souriait pas, mais ses paupières fardées se sont fermées deux fois sur ses beaux yeux. Comme je ne bougeais pas, elle a pris ma main très doucement et y a déposé l'invitation. J'ai scruté bêtement le carton pour y lire la conduite à tenir.

— La galerie se trouve près du métro Jean-Talon, mais nous dansons dans un petit parc à deux pas de l'UQAM, a-t-elle précisé.

Elle a battu des paupières une fois de plus et ses doigts ont effleuré les miens avant de les libérer. Je l'ai regardée dévaler l'escalier sans être sûr d'avoir bien compris.

*

Je ne voudrais pas vivre à une autre époque que celle-ci. L'avenir me semble bien trop effrayant pour que je sois pressé de me retrouver vingt ans dans le futur, et si je reculais de vingt ans dans le passé, je n'aurais pas cet outil indispensable qu'est le Web. N'en déplaise à ceux qui le dénigrent parce qu'ils ont peur de s'y aventurer, je suis chaque jour émerveillé par la quantité d'informations qu'on peut trouver en tapant une demi-douzaine de lettres ou de mots dans un moteur de recherche. Et stupéfait à l'idée qu'une grande partie de ces informations a été mise en ligne par des bénévoles anonymes, *pour le plaisir de les partager.*

Encore troublé par la double conversation et l'invitation d'Adélaïde, je me suis assis devant l'écran du Mac. Les mots Owen La Chance m'ont conduit vers une page Wikipédia qui m'a appris ce que personne ne m'avait dit jusque-là : sa compagne se nommait Kathleen Cheechoo. Elle était née en 1960, Owen en 1942. Ils s'étaient rencontrés en 1982. Leur fils Joshua était né l'année suivante. Et Kathleen avait été assassinée...

Ce dernier mot était en couleur, comme le sont ceux associés à un lien hypertexte. J'ai cliqué dessus et j'ai vu apparaître un article de *La Presse*. Il avait été publié sur le site du journal au matin du meurtre, en 2007, et livrait un « détail » que, parmi leurs confidences, ni Jennie ni Hugh ne m'avaient révélé.

*

Quand j'étais un tout jeune étudiant en médecine, je me suis rendu compte très tôt que de parfaits étrangers n'hésitaient pas à me confier leurs secrets les plus intimes. Je ne comprenais pas pourquoi, car, lorsque je me regarde dans le miroir, le matin, et sachant ce que je sais de moi-même, je ne me trouve ni franchement sympathique ni spécialement digne de confiance. Mais le fait était là : dès que je disais être étudiant en médecine, on s'adressait à moi, d'abord pour me poser des questions auxquelles, le plus souvent, je ne savais pas répondre, mais aussi et surtout pour me raconter une souffrance, une histoire et, parfois, un secret.

Ça ne s'est pas arrangé avec les années. J'ai fini par comprendre que ce qui attirait les confidences n'était pas vraiment ma fonction ou mon titre – ils n'en étaient que les déclencheurs – mais une attitude, une posture inconsciente, mêlant une curiosité candide et la fascination pour les histoires. J'ai compris que les gens qui me parlaient n'attendaient pas des réponses, des solutions, des conseils, mais avant tout, une écoute attentive en l'absence de tout jugement.

Et pourtant, ce premier jour, au CRIE, quand je me suis assis de nouveau devant le Mac flambant neuf, je me suis demandé ce qui m'arrivait.

Je n'étais plus « le docteur Lhombre », mais juste Charly. Et, même si mon savoir-faire professionnel avait été mis à contribution quelques heures plus tôt, dans un camion sur Mont-Royal, je ne soignais plus personne à proprement parler. J'arrivais en novice dans un univers bien organisé, cohérent. Comment expliquer que deux universitaires chevronnés, qui n'avaient sûrement pas l'habitude de s'épancher devant le premier venu, se soient ainsi confiés à moi ?

Brusquement, je me suis souvenu d'un de mes remplacements, à l'époque où j'étais un tout jeune médecin. Deux femmes étaient venues me voir, à quelques heures d'intervalle, chacune pour me parler de son homme.

La première m'avait décrit un mari habituellement réservé, froid, ayant depuis toujours du mal à communiquer avec elle et avec leurs enfants adolescents, et épuisé par un travail qui l'obligeait souvent à partir en tournée à l'extérieur du département. Ces derniers temps, il était devenu très affectueux et aussi très sensible : il pleurait à la moindre émotion.

La seconde m'avait expliqué que son compagnon, tendre, doux, attentif et excellent père avec leurs deux enfants de quatre et six ans, était épuisé par les allers-retours incessants qu'il faisait entre Paris et leur ville de province, au service d'une entreprise qui lui imposait des déplacements à n'importe quel moment de l'année, y compris pendant l'été et les vacances scolaires. Il était devenu irritable, distant, replié sur lui-même...

Les deux femmes se faisaient du souci pour la santé de leur conjoint, qui avait perdu du poids au cours des semaines écoulées. Dans leur esprit, ce changement de comportement ne pouvait avoir que deux explications : il était gravement malade ou il avait une autre femme dans sa vie.

Lorsque la deuxième patiente fut devant moi, j'ai tout de suite pensé : c'est le même homme. Et juste après, je me suis senti ridicule, et j'ai banni cette idée de mon esprit. L'éventualité que les deux femmes d'un bigame viennent me parler le même jour était... hautement improbable. Une semaine plus tard, un homme s'est présenté sans rendez-vous. Je l'ai fait entrer et je lui ai demandé ce que je pouvais faire pour lui. Il a déclaré : « Avant de vous répondre, je voudrais vous poser une question. Je viens de lire le code de déontologie des médecins. Si j'ai bien compris, le secret professionnel existe entre époux. Est-ce que je me trompe ? »

J'ai indiqué qu'il avait tout à fait raison, et que si une femme venait me consulter un matin, que ce soit pour un rhume ou pour une interruption de grossesse, je n'avais même pas le droit de mentionner cette consultation à son mari s'il venait me voir l'après-midi.

Il a réfléchi et a dit : « Alors, je peux vous dire ce qui m'amène. Je suis fatigué, j'ai perdu quinze kilos en quelques mois, et je pisse du sang depuis trois semaines. Je pense que je suis gravement malade. Et j'ai *deux* femmes dans ma vie. »

Je me suis longtemps demandé par quel miracle ces trois personnes m'avaient toutes les trois consulté à quelques jours d'intervalle. J'ai fini par comprendre que je n'y étais probablement pour rien. Ou plutôt, que les circonstances avaient plus d'importance que ma personne. Tous trois étaient pétrifiés d'angoisse. Tous trois avaient besoin d'en parler. J'étais un étranger. Je ne les connaissais pas. J'étais là seulement le jeudi. J'étais jeune et inexpérimenté. J'occupais le bureau du médecin. Je ne m'étais pas fait une mauvaise réputation dans le village. N'y tenant plus, ils avaient tous trois pris le risque de me parler.

Quinze ans plus tard, je me retrouvais, une nouvelle fois, en un lieu et à l'heure où les bouches se déliaient.

Jennie Chen et Hugh Osler étaient les intimes de Kathleen et Owen. La tragédie qui s'était abattue sur le couple avait dû les frapper durement. L'une était l'amie de la victime, l'autre l'ami du mari accusé. Ils n'avaient pas pu en parler ensemble. Ils n'avaient pu en parler à personne, jusqu'à mon arrivée. Ah, certes j'étais neuf, j'étais étranger, mon CV n'était pas trop mauvais. Mais surtout, je débarquais, tel un instrument du destin, à la pire date qui soit. Le matin même, Owen La Chance m'avait accueilli dans les lieux mêmes où sa compagne avait été assassinée, trois ans, presque jour pour jour, après le drame.

10

L'élu

Très mal à l'aise, j'ai fui mon bureau et l'immeuble.

La cafétéria de HEC est un vaste hall bordé d'immenses baies vitrées donnant d'un côté sur l'esplanade de l'école, de l'autre sur un jardin paysagé. Il faisait clair et frais, c'était le milieu de l'après-midi. Quand je suis angoissé, j'ai faim. En faisant la queue à l'heure du repas, j'avais repéré des viennoiseries. J'ai acheté deux croissants et un café, et je suis allé m'asseoir au milieu des tables vides, face aux arbres en fleurs.

L'article de *La Presse* que j'avais lu au bureau était accompagné d'une photo qui montrait distinctement l'entrée de mon appartement en sous-sol, bloqué par un ruban jaune de la police. En la voyant, j'avais ressenti un choc à la pensée d'avoir dormi sur les lieux mêmes du meurtre, et d'avoir été propulsé malgré moi dans une histoire qui ne me concernait pas. J'avais quitté Tourmens pour m'éloigner de l'atmosphère de complots, de magouilles, de luttes de pouvoir et de crimes institutionnels à laquelle j'étais confronté, en tant que médecin légiste et enquêteur de circonstance, depuis plusieurs années. Et voilà que deux jours après mon arrivée, j'étais de nouveau pris dans une histoire criminelle. Je me suis rappelé ce que Jean et Raoul disaient chaque fois que je subodorais une mort suspecte en lisant les faits divers du matin : « Charly, tu renifles toujours les coups tordus à trois kilomètres. Et au lieu de les fuir, tu mets les mains dans le cambouis même quand c'est pas toi le mécano. »

Ils n'avaient pas tort. J'avais un peu trop l'habitude de lever des lièvres, criminels de surcroît. Plus d'une fois, mes soupçons à la lecture d'un compte rendu de vingt lignes, d'une phrase sibylline prononcée par une veuve soi-disant éplorée, ou d'un témoignage oral mineur avaient guidé Jean Watteau ou l'un des autres magistrats instructeurs vers la résolution d'une affaire. Et je n'en étais pas heureux. Pour paraphraser Monk, le détective obsessionnel compulsif, je ne voyais pas ces intuitions comme un don, mais comme une malédiction. D'autant que, contrairement aux enquêteurs des séries policières, mes intuitions ne naissaient jamais d'éléments physiques, mais de récits.

Et qu'avais-je fait, depuis mon arrivée à Montréal, sinon engranger des récits ?

Certes, l'histoire de Kathleen portait seule sa charge de malheur. Les protagonistes survivants n'avaient pas attendu mon arrivée, j'en étais sûr, pour en faire le tour mille et une fois, dans leur esprit tourmenté. Mais j'avais le sentiment que le flot de paroles et d'émotions libéré par mon arrivée n'allait pas se tarir de sitôt. Les premières personnes concernées – Owen, Julie – ne me laisseraient pas vivre dans cet appartement en faisant comme si de rien n'était.

Je mâchouillais pensivement mon croissant quand une voix s'est fait entendre.

— On ne vous l'avait pas dit…

Leonard Landau venait de s'asseoir à mes côtés. Il avait l'air préoccupé.

— Dit quoi ? ai-je répondu avec précaution.

— Que vous alliez loger dans l'appartement de Kathleen…

— Non. Mais comment savez-vous...

— Vous avez laissé la porte de votre bureau ouverte. Je passais vous voir pour m'excuser de ne pas vous avoir mieux accueilli, tout à l'heure, et j'ai vu la photo affichée sur votre écran. C'est une photo que tout le monde connaît, au CRIE...

— J'imagine...

Une fois encore, je me suis tu et j'ai attendu la suite.

— Owen a laissé l'appartement dans l'état où il était le soir de sa mort... Il n'a touché à rien. Et leur femme de ménage a reçu pour instruction de dépoussiérer en laissant tout en place.

— Mais ils ne m'ont rien dit ! Ils savent pourtant que je risque de toucher à *tout* !

— Justement, je crois que c'est de cela qu'ils ont besoin. Ils ont besoin que cet endroit revive. Qu'il cesse d'être un lieu mortuaire. Kathleen méritait mieux.

Il a croisé les mains sur la table devant lui et m'a regardé droit dans les yeux.

— J'ai suggéré à Owen de le louer il y a déjà plusieurs mois... Non, pas à vous en particulier, mais pas à n'importe qui non plus. À un chercheur du CRIE. À quelqu'un dont la présence dans cet appartement aurait un sens. Ça faisait des mois qu'il hésitait. Il s'est décidé en voyant votre CV.

— Je comprends. Alors... c'est La Chance qui m'a choisi...

Pour la première fois, je l'ai vu sourire. Il a ôté ses lunettes pour se frotter les yeux avant de murmurer :

— J'ai un aveu à vous faire.

— *Mmhhh*... ?

— Quand il m'a parlé de vous, je me suis dit que votre arrivée était une bénédiction.

— Parce que je suis médecin ?

— Oui. Je croyais...

— Que je pourrais faire quelque chose pour lui... Malheureusement, je n'ai pas de permis d'exercer au Québec, et de toute manière, il faudrait qu'il me choisisse, lui !

— Je sais. J'en ai pris conscience très vite. J'avais juste... oublié mes réflexes d'éthicien pendant quelques minutes. Je ne supporte pas bien de le voir dans cet état.

— Vous le connaissez depuis longtemps, vous aussi.

— Depuis qu'ils se sont installés à Montréal, Kathleen et lui.

— Ça devait être une femme hors du commun...

Il soupire profondément et ses yeux se détournent comme pour évoquer un passé lointain.

— Plus que ça. Elle a changé notre vie, à tous les trois. Aucun de nous – je veux dire : Owen, Hugh et moi – n'avait jamais rencontré de femme comme elle.

Comme je ne dis rien, il me regarde et sourit.

— Oui, j'étais amoureux d'elle, moi aussi ! Bien sûr...

— Je ne veux pas être indiscret...

— Vous ne l'êtes pas. Je vous parle...

Parce que je suis le type à qui on parle, je sais...

— ... parce que vous m'êtes sympathique. Et parce que...

— Ça fait du bien de parler d'elle.

— Oui.

— Vous n'en parlez jamais avec Owen ?

— Je ne lui en ai jamais parlé depuis qu'elle est morte. D'ailleurs, je ne l'ai pas vu beaucoup. Il vient deux fois par an au CRIE. La première fois pour la réunion de comité directeur, et il ne dit presque jamais rien. La seconde à la fête d'accueil des chercheurs, en septembre. Et cette année...

Il m'a regardé à nouveau. Mais je n'allais certainement pas me hasarder à un pronostic.

J'ai réfléchi quelques secondes et décidé de changer de sujet.

— Expliquez-moi le fonctionnement du CRIE. Ses objectifs. Sa vocation.

— Hugh ne vous en a pas parlé tout à l'heure ?

— Non. La conversation a… dévié.

Il me fait une moue entendue.

— Je vois. Et bien sûr, je conçois que, de loin, ça ne soit pas très clair. Mais c'est assez simple. Le CRIE est un centre de recherches en éthique. Les professeurs titulaires enseignent l'éthique dans leurs disciplines respectives, et contribuent à l'avancement des connaissances en dirigeant des mémoires de maîtrise ou des thèses de doctorat sur des sujets inter- ou transdisciplinaires, et en accueillant pour trois, six ou douze mois des chercheurs qui ont besoin d'un lieu de travail tranquille pour avancer dans leurs propres recherches. En outre, nous proposons des cours aux facultés de médecine, de soins infirmiers, d'ergothérapie, etc. Nous organisons deux colloques par an, le premier est ouvert aux universitaires du Québec, l'autre aux chercheurs du monde entier. Et chacun de nous, bien sûr, participe à d'innombrables congrès dans le monde entier.

— Tout ça doit coûter beaucoup d'argent.

— Oui. Mais comme vous le savez, c'est la Fondation Kathleen Cheechoo qui finance le CRIE. Et elle dispose de moyens considérables. Nous pourrions financer un plus grand nombre de bourses de recherche, accueillir un plus grand nombre d'étudiants, mais les statuts nous limitent, et je trouve ça très bien.

— *Mmhhh… Small is beautiful.*

Il a encore souri.

— Exactement. La croissance incontrôlée tue la qualité. Il faudrait embaucher un plus grand nombre de professeurs, louer des locaux plus grands… En gardant une taille limitée, nous savons toujours ce que nous faisons, et ce que valent les individus qui passent par chez nous.

— Et tout le monde est de cet avis ?

— Non, pas vraiment, dit-il en ricanant. Hugh aimerait qu'on embauche deux profs de plus. Jennie trouve que nous ne favorisons pas suffisamment les projets de recherche sur les minorités et la pauvreté. Adélaïde rêve d'une salle de spectacles où elle organiserait des manifestations toute l'année, Marlon présente chaque année un projet de chaire d'éthique en écologie… Quant à Lucie-Anne Jones, elle aimerait créer un atelier de cinéma du réel. Tous ces projets sont sur le bureau du comité directeur. Lequel est composé d'une demi-douzaine de personnes extérieures au CRIE ; son président, dont la voix compte double, est Owen. Or, comme il reste scrupuleusement attaché aux principes fondateurs rédigés par Kathleen…

— Et vous ?

— Moi ?

— Oui. Même si vous acceptez les limitations statutaires, vous avez bien un rêve… Non ?

J'ai eu le sentiment qu'il ne s'attendait pas à cette question. Il est resté un long moment sans poursuivre.

— Notre réalité est déjà très belle, trop belle. Kathleen était une anticapitaliste réaliste. Elle a incité Owen à diversifier son entreprise et à la faire évoluer vers des activités saines. La fondation a très peu souffert de la crise bancaire. Par moments, je trouve notre santé financière indécente, j'ai le sentiment que nous devrions la partager. Mais la dernière fois que je lui en ai parlé, Owen m'a objecté qu'il donne déjà, à titre personnel, des millions à des œuvres caritatives et que nos activités de recherche et d'enseignement doivent être préservées.

— Et vous pensez…

— Qu'il a raison, bien sûr. D'autant qu'il n'est pas éternel. Encore moins aujourd'hui qu'il y a trois ans… Et…

Le visage de Landau s'est brusquement assombri.

— Et Dieu sait ce qui se passera le jour où il ne sera plus là...

J'ai froncé les sourcils.

— Les statuts de la fondation doivent prévoir cette éventualité, j'imagine ?

— Oui, répond-il en soupirant. C'est bien le problème. Ils stipulent qu'en cas d'incapacité d'Owen la présidence de la fondation sera assurée par l'aîné de ses descendants directs...

11

Cris et chuchotements

Dans le bureau resté ouvert, l'écran du Mac affichait une pluie d'étoiles. Je n'arrivais pas à me concentrer, je n'avais pas la force d'aller me balader dans Montréal sous un soleil de plomb

Je me suis brusquement rappelé ma valise en vadrouille et j'ai appelé l'aéroport, où quelqu'un m'a annoncé qu'elle n'arriverait que le jour suivant et me serait livrée dans la soirée. En un sens, ça m'arrangeait. Je n'avais pas très envie de rentrer à l'appartement.

Je me suis souvenu de l'invitation que m'avait remise Adélaïde. Le site de la STM m'a indiqué que je pouvais m'y rendre facilement en bus à partir de l'université. Il était 16 h 30, j'avais deux heures et demie à perdre.

J'ai tapé « Nation crie » dans la zone de recherche du navigateur. Une demi-seconde plus tard, la page m'annonçait deux millions de résultats. J'ai cliqué sur le premier lien. Au bout de deux heures de lecture et de balade sur les principaux sites consacrés aux nations amérindiennes, j'avais une idée un peu plus précise de l'identité et de l'histoire du peuple de Kathleen Cheechoo.

Membres de la grande famille algonquienne, les Cris sont l'un des peuples autochtones les plus importants d'Amérique du Nord, et leur territoire s'étend des Rocheuses à l'Atlantique. Au XVIIe siècle, lorsque les Européens débarquent, la plupart des Cris vivent en petits groupes nomades entre la baie d'Hudson et le lac Supérieur. Progressivement, ils deviennent des intermédiaires obligés dans la traite des fourrures.

À partir de 1780 et pendant un siècle, ils subissent toutes les calamités possibles : la variole, importée par les Européens, qui décime les nations plus petites, mais à laquelle ils survivent grâce à leur nombre et à l'étendue de leur territoire ; l'interdiction de leur religion et de leurs cérémonies sacrées ; la famine ; l'enfermement dans une réserve de cinquante kilomètres carrés ; les exécutions collectives. Face aux Blancs, ils n'ont que deux choix possibles : renoncer à leur terre ou se battre. Guerres et traités se succèdent entre 1876 et 1899.

Au Québec, au XXe siècle, les Cris sont installés au bord de la baie James et de la baie d'Hudson. Ils ne sont pas les seuls Amérindiens de la province, loin de là, mais avec leurs quinze mille membres, ils forment l'un des groupes les plus nombreux.

Entre 1971 et 1975, la société Hydro-Québec veut inonder huit mille kilomètres carrés de terre appartenant aux Inuits et aux Cris. Un juge du Québec bloque le projet et, à la suite de négociations avec le gouvernement provincial, les deux peuples amérindiens se voient attribuer l'usage exclusif d'un territoire de soixante-dix mille kilomètres carrés et des indemnités permettant le financement de services de santé, de services sociaux, d'un système d'éducation et d'un tissu d'organismes administratifs et d'entreprises autogérées.

La non-application de ces accords signés en 1975 suscite pendant les quinze années qui suivent des recours judiciaires à hauteur de plusieurs milliards de dollars contre le gouvernement de la province.

Par une entente de principe signée en 2002, la « Paix des Braves », le gouvernement du Québec s'engage dans le développement économique du territoire de la baie James. La nation crie renonce aux poursuites et autorise la société Hydro-Québec à exploiter deux rivières, la Rupert et l'Eastmain, en échange d'une somme de quatre milliards et demi de dollars et de la participation active au développement hydro-électrique.

Pour certains, il s'agit d'un modèle d'accord entre le gouvernement fédéral et une nation amérindienne. Pour d'autres, ce traité est catastrophique par ses conséquences écologiques. En 2007, le gouvernement fédéral du Canada s'engage à aider les Cris à assumer seuls la responsabilité du développement économique, de l'hygiène publique, de la justice...

Derrière ce semblant de victoire finale, la réalité est plus sombre. En l'absence d'emplois, les Cris tendent à quitter leur région d'origine pour chercher du travail dans les grandes concentrations urbaines, plus riches. Là, ils sont jetés dans l'itinérance et ses conséquences – l'alcoolisme, la prostitution, la toxicomanie. La situation est aggravée par la rareté des centres d'accueil ouverts, et gérés par des Amérindiens. Car les itinérants autochtones ne fréquentent pas les structures des Blancs : ils y subissent des violences racistes de la part des autres désinsérés.

*

L'un des articles que j'ai consultés rapporte qu'en 2006, quelques mois avant d'être assassinée, Kathleen Cheechoo avait été l'instigatrice d'un foyer d'hébergement distribuant des repas gratuits et doté de trente lits, réservé aux itinérants autochtones de sexe masculin. Le foyer est installé sur Ferron et Ontario, à quelques centaines de mètres du domicile de Kathleen et Owen.

Sa création suscita de nombreuses protestations dans le quartier, certains habitants ne voyant pas d'un bon œil l'installation de ce refuge. Un article de presse décrivant l'ouverture du foyer montre Kathleen Cheechoo au milieu de l'équipe. Debout près d'elle, un jeune homme aux longs cheveux aussi noirs que les siens pose sur elle un regard plein de fierté. La légende précise qu'il s'agit de son fils, Joshua.

J'ai placé un signet sur l'article, ai continué à surfer et je suis tombé sur une page Wikipédia consacrée à la langue crie. On y lisait que le cri est la plus parlée des langues amérindiennes au Canada, et l'une des rares qui s'écrivent. La page donnait un tableau de l'alphabet syllabique cri et une photo illustrait son utilisation sur les panneaux de signalisation trilingues dans les villages cris du Québec.

*

J'ai continué à surfer, sans me rendre compte que mes paupières se fermaient. Le fauteuil que m'avait installé Marlon était très confortable. Je m'y suis avachi peu à peu. Bientôt, je somnole. Sur l'écran assombri, des étoiles se mettent à filer, des silhouettes à danser.

*

Je ne sais pas quand ça a commencé. Très tôt, je crois. Ma mère m'emmenait au cinéma deux fois par semaine, le mardi soir et le dimanche après-midi. Elle adorait le cinéma. Elle ne voulait pas aller au cinéma toute seule. Elle ne voulait pas aller au cinéma avec un étranger. Elle aurait pu payer une baby-sitter pour me garder, mais elle préférait m'emmener.

Je ne sais pas quel âge j'avais, au début, j'étais sûrement assez grand pour me tenir tranquille mais trop petit pour donner mon avis sur le film. Et puis, j'étais content d'aller au cinéma, j'étais content d'y aller avec elle, et si je ne comprenais pas tout, je pouvais m'endormir sur le fauteuil. Elle ne m'emmenait jamais voir des films violents, mais presque toujours des comédies sentimentales et des mélodrames. Je m'en imprégnais sans le savoir.

J'ai vu tant de films dans un demi-sommeil, au cinéma et à la télévision, que j'ai fini par en rêver la nuit et le jour. J'ai vu tant de personnages vivre et revivre les mêmes conflits, les mêmes angoisses, les mêmes émotions, les mêmes joies que j'ai fini par confondre, parfois, la réalité et les histoires que j'avais vues sur un écran. Et, à mesure que je grandissais et que j'atteignais l'âge adulte, j'ai accumulé dans l'espace de ma mémoire un immense réservoir d'images, de gestes et d'émotions en suspens.

Le moment venu, sans que j'aie à les invoquer, certaines de ces images remontent à la surface. Et elles me parlent.

*

Sur l'écran noir de mes paupières, je vois une femme blonde, fluette mais pleine d'énergie et d'humour, assise dans un compartiment de train à l'ancienne, face à deux hommes endormis. Elle les regarde intensément. Soudain, les deux hommes se réveillent et le visage de la femme se trouble. Elle se lève et fait le tour de la table (le décor a changé, ils sont debout dans un appartement exigu). Émue, elle lève la main à son front et s'affale langoureusement, avec une grâce infinie, sur un petit canapé-lit, et son corps qui s'étend soulève un fin nuage de poussière. Les deux hommes – l'un est athlétique, l'autre distingué – se regardent, s'approchent et se penchent sur elle.

Je connais ces personnages. Ce sont Miriam Hopkins, Gary Cooper et Fredric March dans *Design for Living,* d'Ernst Lubitsch.

12

Dancing in the Dark

Berri-UQAM, jeudi soir

Quand je suis sorti, vers six heures et demie, il faisait très chaud. Du coin de l'œil, j'ai aperçu trois étudiants debout au coin du boulevard sous un panneau bleu et blanc. Un véhicule surgi de nulle part est passé devant moi et s'est immobilisé quelques mètres plus loin. C'était un bus de ville portant le chiffre 51. J'ai fouillé dans mes poches, j'y ai trouvé la somme nécessaire, je suis monté à la suite des étudiants. C'étaient des étudiants en médecine. L'un d'eux parlait fort : il venait d'assister à une autopsie. Je suis allé m'asseoir au fond du bus. Je me suis mis à somnoler de nouveau, et un voyageur m'a secoué quand le bus est arrivé au terminus, à la station Laurier. De là, j'ai pris le métro jusqu'à Berri-UQAM.

La manifestation à laquelle Adélaïde m'avait invité se déroulait dans un parc non loin de la station. Il faisait encore jour, mais une lueur orangée semblait baigner le parc. Une foule assez dense était assemblée autour d'une estrade peu élevée. À chaque coin, un sommier de lit portait un faux brasero. Des spots lumineux rouge, jaune et blanc balayaient le métal.

Au milieu de la scène, six danseurs – deux femmes et quatre hommes – évoluaient souplement.

Le propos était clair : d'après la courte présentation qui était remise aux spectateurs, un homme et une femme sans foyer ni ressources étaient ignorés, rejetés ou martyrisés par trois symboles de la société : le médecin, le juge, le bien-pensant. Seule une bénévole leur portait secours.

Le spectacle était impressionnant, car les danseurs se produisaient sans musique – de ce fait, nous tendions l'oreille pour entendre les bruits de leurs corps se frôlant, s'étreignant, se croisant malgré les murmures de la foule, l'écho des moteurs et le cri des sirènes d'ambulances qui filaient dans les rues alentour.

Les deux danseurs tenant le rôle des itinérants étaient vêtus d'un short et d'un maillot gris tachés de cambouis. Les quatre autres étaient vêtus d'amples combinaisons blanches similaires à celles des travailleurs du nucléaire. À mesure que la « bénévole » côtoyait les déshérités, sa combinaison blanche se tachait à leur contact et elle finissait par la déchirer pour évoluer plus librement avec eux.

Adélaïde incarnait la bénévole. Une femme brune aux cheveux courts, l'itinérante. Fasciné par l'énergie des danseurs – et par le corps des deux femmes –, j'ai sursauté en sentant une main se poser sur mon bras.

Jennie Chen se tenait près de moi. Elle a dit bonsoir du bout des lèvres, sans émettre un son, et s'est collée à mon épaule en me faisant comprendre qu'un géant lui masquait le spectacle, et que si je me déplaçais légèrement vers la gauche...

Elle s'est glissée devant et, peu à peu, s'est adossée contre moi. Je me suis demandé si c'était inconscient. Je me pose toujours ce genre de question. Je n'aime pas deviner. Quand quelqu'un veut me signifier quelque chose d'aussi ambigu, je préfère en avoir le cœur net. J'ai tenté de regarder son visage, mais la nuit était tombée, je ne voyais rien d'autre que les corps orangés des danseurs.

Lorsque les six silhouettes se sont immobilisées (les itinérants et la bénévole rejetés au bord de la scène pendant que les trois autres formaient au centre une sorte de triumvirat solennel), Jennie a semblé se rendre compte qu'elle était collée à moi. Elle s'est écartée vivement et a murmuré :

— C'était beau... ça vous a plu ?

— Beaucoup. Et pourtant je ne suis pas vraiment un amateur de danse.

— Il y a beaucoup de spectacles de rue à Montréal à partir du printemps. Celui-ci, Adélaïde l'a déjà présenté à plusieurs reprises, mais ce soir, ce sont les étudiants de son séminaire sur l'art dans la rue qui dansaient avec elle.

J'ai sifflé d'admiration.

— Je pensais que c'étaient des professionnels...

— Pas du tout. Mais ils dansent très souvent ensemble. Venez, a-t-elle dit en me prenant par la main pour me faire traverser la foule, je vais vous présenter.

Assis sur le bord de la scène, une serviette éponge autour du cou, les danseurs bavardaient avec les spectateurs venus les féliciter. Adélaïde s'est levée en me voyant.

— C'est gentil d'être venu, docteur !

J'ai fait la grimace et répondu en imitant Michel Simon.

— Faut pas m'appeler docteur, le collège des médecins du Québec risque de me faire un procès...

— Vraiment ? s'est exclamée Jennie. Pourquoi ?

— Parce que le titre de docteur est contrôlé par le collège. Ne peuvent l'utiliser que les praticiens dûment agréés et inscrits à son tableau.

— Vous allez vous inscrire ?

— Comme je ne dois pas rester très longtemps, je n'en avais pas l'intention mais Marlon m'a expliqué que l'inscription me donnerait accès aux dossiers médicaux si j'ai besoin d'en consulter pour ma recherche. Alors j'ai fait une demande cet après-midi. On va bien voir…

— Est-ce que les médecins sont aussi rigides en France qu'au Québec ? demande Adélaïde.

— Encore plus. Mais ce n'est vraiment pas un sujet intéressant. (Je me penche vers elle et vers sa compagne danseuse, qui s'est levée elle aussi et a posé la main sur l'épaule d'Adélaïde.) Vous étiez… superbes, toutes les deux. Enfin, tous les six…

Elles se regardent, se mettent à rire.

— Ça vous a plu, alors, dit Adélaïde.

— Oui, vraiment. Les braises sur les sommiers…

— C'est un hommage à André Fournelle, un artiste très connu au Québec, me dit la jeune femme aux cheveux courts. Mais vous n'avez pas seulement aimé le dispositif…

— Non, non bien sûr. À vrai dire, je n'avais jamais vu un spectacle de danse sans musique, ça m'a beaucoup impressionné. On… sent mieux le travail de chorégraphie, quand on… entend le bruit des corps l'un contre l'autre… (Je me sens bête d'avoir dit ça, alors j'ajoute :) Pardon. Charly Lhombre.

Je lui tends la main.

— Réjane Lalumière.

On sourit au même moment.

Elle prend ma main mais ne la lâche pas.

— Vous nous entendiez ? Avec tout le bruit qu'il y a dans la rue ?

— Oui… Enfin, j'imaginais, peut-être…

— Non, non, pas du tout ! Je vous entendais aussi, affirme Jennie en posant ostensiblement la main sur le bras tendu que Réjane n'a toujours pas lâché.

Adélaïde pose la main sur mon bras encore libre et, jaugeant ses deux amies :

— On se rhabille et on va prendre une bière sur Saint-Denis. Viens-t'en !

Ce n'est pas une question. Sans discuter, j'acquiesce. Leur manège à toutes les trois m'amuse beaucoup. Pour ce que j'en sais, elles ont peut-être décidé de me faire marcher, c'est un bizutage un peu élaboré, comme celui qu'on faisait subir jadis aux appelés qui faisaient leur service militaire sur la *Jeanne d'Arc*. Un de mes patients me l'a raconté : les gradés échangeaient leurs galons et quand les appelés s'adressaient à eux, ils leur donnaient des ordres fantaisistes. Le premier jour des appelés était une belle pagaille.

Mon premier soir de sortie à Montréal n'est pas mal non plus. La bière, je la bois au milieu des trois grâces. Elles m'expliquent que les hommes venus de France ont à la fois une bonne et une mauvaise réputation. Mauvaise lorsqu'ils ont l'attitude supérieure des métropolitains en visite dans une colonie. *Mais ça, c'était il y a vingt ans, ça a beaucoup changé, quand même...* (Jennie). Bonne parce que, contrairement aux hommes du Québec, ils savent encore parler aux femmes. *Et t'as pas besoin de te poupouner pour qu'y t'regardent* (Réjane). Et des hommes qui flirtent ça fait plaisir. *Pasque, tu comprends, les gars ici tout ce qui savent faire c'est se coller le cul d'vant la télé avec une bière et s'paqueter la gueule* (Adélaïde).

Du groupe voisin, une silhouette se détache et vient nous rejoindre brièvement, c'est Malvina, qui salue Jennie et félicite les deux danseuses puis se penche vers moi et me glisse malicieusement – mais assez fort pour que les trois autres entendent – : « Attention, elles sont célibataires toutes les trois... »

La soirée est très agréable mais, de manière assez inhabituelle, je me sens très vite ivre de bière (elles n'ont pas cessé d'en commander), de *jetlag* et de paroles. Je m'efforce d'avoir l'air attentif, mais j'ai du mal à parler. Bientôt, non seulement je ne dis plus rien mais je ne les entends plus, et je les vois rire – de moi, bien entendu.

Très embêté mais soucieux de ne pas perdre la face, je décide de les inviter et, sans les laisser discuter, je me dirige vers la caisse du café. La serveuse me dit un chiffre, je suis incapable de comprendre ce qu'elle me raconte. Je lui tends ma carte bancaire et tape le code trois fois. Je ne sais pas pourquoi je suis dans cet état, je supporte bien la bière d'habitude mais là...

Heureusement, la troisième fois est la bonne. Ce qui se passe ensuite n'est pas très clair : Adélaïde, Jennie et Réjane discutent ferme, en tenant d'une poigne non moins ferme mes deux bras et ma cravate (sauf, me dis-je, que je n'ai pas de cravate, alors la troisième, elle tient quoi ?) et je comprends vaguement – car aucun son ne me parvient – qu'elles débattent pour savoir qui me raccompagnera rue Ferron.

Jennie et Adélaïde sont venues en taxi mais Réjane a sa voiture, alors c'est elle qui raccompagne tout le monde, je monte à l'avant près d'elle et elle dépose les deux autres, d'abord Jennie (elle sort de voiture, se penche vers moi et, par la fenêtre que j'ai ouverte en grand pour prendre l'air du soir, sourit et m'embrasse au coin des lèvres), puis Adélaïde (elle claque la portière furax, fusille Réjane du regard en faisant le tour de la voiture, ouvre ma portière, me fait sortir, me roule un patin et me plante là).

Un peu estomaqué quand même, je referme la portière, je regarde Réjane, je vois qu'elle est embarrassée, je n'arrive pas à aligner trois mots. D'un seul coup j'ai l'impression d'être aphasique mais je pose ma main sur son bras pour la rassurer et je fais un signe de la main pour dire « Allons-y ».

Quand elle se gare rue Ferron, je pose une nouvelle fois la main sur son bras et je lui signifie qu'elle n'a pas besoin de m'accompagner. Elle insiste, elle semble redouter que je tombe dans l'escalier et que je me fasse du mal mais je reste intraitable, je sors seul de la voiture et je la regarde partir.

Une fois seul, je sors à tâtons mes clés de mon sac et je descends les huit marches de mon sous-sol. Je suis obligé de m'asseoir sur les dernières marches pour trouver le trou de la serrure et ouvrir ma porte. J'entre et je referme, je fais trois pas vers la chambre et, sans même allumer, je m'effondre sur le lit. Un nuage de poussières d'étoiles se soulève autour de moi, je lève la main à mon front. Sur l'écran blanc du plafond, les sourcils froncés, les bras croisés, mes trois Québécoises secouent la tête, dégoûtées.

Debout, dans l'ombre, Dominique me sourit.

13

Le grand sommeil

Rue Ferron, vendredi 21 mai 2010

Je me réveille vers 8 heures avec une gueule de bois historique. Ça m'est arrivé plus qu'à mon tour de picoler – Jean, Raoul et Claude aiment les bons vins et nous n'en avons pas manqué pendant toutes les années que j'ai passées au château de Lermignat – et souvent de me lever en regrettant d'avoir oublié de m'arrêter, mais jamais je ne me suis senti comme ce matin. Et le souvenir pour le moins confus de ce que j'ai pu dire ou faire me met extrêmement mal à l'aise. Je suis chercheur invité dans un centre de recherches que d'aucuns considèrent comme l'un des meilleurs du pays. Qu'ont pu penser deux de mes collègues et une de leurs amies en me voyant perdre ainsi les pédales ? *Non mais, de quoi j'ai l'air ?*

*

Avec celle qui ouvre la porte du CRIE et celle de mon bureau, Marlon m'a donné la clé de l'immeuble. Honteux et perplexe, je me douche, j'engloutis trois cafés serrés et je prends la résolution de me rendre au CRIE le plus tôt possible. C'est l'occasion ou jamais de montrer que je peux être opérationnel même après avoir fait des folies.

Je me souviens vaguement avoir laissé tomber mon sac quelque part sur mon chemin, hier soir en rentrant. Je le retrouve dans le bureau, juste à l'extérieur de la chambre. Je sors mon portable et, après un instant d'hésitation, je m'assieds derrière le petit bureau de Kathleen Cheechoo. Et je vois que, sur l'écran de son ordinateur, la diode de veille est allumée.

Or, elle ne l'était pas hier quand j'ai fait le tour du bureau et examiné les livres de la bibliothèque. On s'est servi de l'ordinateur pendant mon absence. Owen ou Julie sont-ils entrés dans l'appartement avant mon retour hier soir ?

J'allume la machine. Deux icônes, « Kathleen » et « Visiteur » apparaissent sur l'écran. La session « Kathleen » est, bien entendu, sécurisée par un code d'accès. La session « Visiteur » ne permet pas d'ouvrir les dossiers de documents.

Machinalement, j'ouvre un navigateur et j'accède à ma boîte courriel. Pas de message de Dominique. Je lui ai pourtant donné la date de mon arrivée. J'élimine les deux ou trois messages sans intérêt et j'ouvre le dernier, dont le libellé est « From Owen La Chance ». Il regrette de n'avoir pas eu plus de temps pour parler hier, et m'invite à passer le voir ce matin. J'ai le temps de bavarder avec lui et d'arriver tout de même au bureau à une heure convenable.

J'éteins la machine, je jette un regard circulaire à la pièce, quelque chose attire mon regard, sur une des étagères, mais je n'arrive pas à savoir quoi. Je m'approche. Dans une case sont alignés une quinzaine de volumes de bel aspect. Une édition de Shakespeare. J'en sors un de son étui. C'est un de ces livres de bibliophiles non reliés et richement illustrés qu'on publiait il y a cinquante ans. D'ailleurs il date de 1955. Je le remets précautionneusement là où je l'ai pris.

Au moment où je veux quitter l'appartement, je me rends compte que la porte est verrouillée de l'intérieur. Où sont mes clés ? Après m'être énervé un bon moment à les chercher dans tous les coins de l'appartement, je finis par les retrouver dans le lit, elles ont glissé sous les draps. J'ai dû serrer le trousseau dans ma main jusqu'au moment où je me suis affalé. Agacé par les brumes dans lesquelles flottent mes souvenirs de la veille, je grimpe ma volée de marches jusqu'à la rue, puis celle du 3440, et je frappe un peu brutalement à la porte.

*

C'est Owen qui m'ouvre. Il me semble encore plus maigre qu'à notre précédente rencontre. Je tends l'oreille, mais je n'entends ni babillage, ni voix féminine dans l'appartement. Au lieu de se diriger vers le salon, il me fait entrer dans son bureau et referme la porte derrière moi.

La pièce est très vaste, encombrée de piles de livres et de dossiers. Les murs sont couverts de deux séries parallèles de photographies rangées, il me semble, dans l'ordre chronologique. Sur les premiers clichés de la première série, dans de grands cadres et en noir et blanc, Owen, enfant, apparaît aux côtés d'un homme âgé – son père ? – devant des troncs d'arbres gigantesques, des scies circulaires monstrueuses et des hangars aux frontons qui portent son nom. Les photographies suivantes le montrent adolescent puis adulte – et seul – devant les mêmes troncs d'arbres, les mêmes bâtiments et des scies circulaires plus modernes. Sur plusieurs photographies dans la dernière partie de la série, il se tient aux côtés de Kathleen ; ils remettent à des personnalités diverses des chèques que je devine importants.

Il me fait asseoir et s'installe tout près, dans un fauteuil relax, allonge ses jambes sur un repose-pieds et s'enveloppe dans une couverture.

— J'ai toujours froid, dit-il. Enfin, j'imagine que lorsqu'on a un cancer au stade terminal, c'est normal...

Je ne dis rien, mais mon regard doit être interrogateur, car il continue, en guise de réponse : « Cancer du pancréas. Inopérable. Par bonheur, et pour une raison que tout le monde ignore, je ne souffre pas. J'ai mal partout, comme si on m'avait battu, mais je n'ai pas les douleurs intenses dont souffrent les patients habituellement. Le médecin voulait absolument me mettre sous morphine et je n'en voyais pas l'utilité. Qu'en pensez-vous ? »

Je me mets en mode médical.

— Que si vous ne souffrez pas, effectivement, c'est inutile. Vous auriez des effets secondaires sans aucun bénéfice. Et on ne prend pas de la morphine pour somnoler...

— C'est ce que je pense aussi. Mais tout le monde a l'air de vouloir que je somnole. Comme si le fait d'être déconnecté allait me faire du bien...

Je me demande qui est ce « Tout le monde ».

— Je veux pouvoir parler et jouer avec ma petite-fille...

— Je comprends. Et de toute manière, c'est à vous de choisir comment vous vous soignez.

À ces mots, il sourit et hoche la tête comme s'il venait d'obtenir une confirmation.

— Il ne m'a pas menti à votre sujet...

Puis, sans me donner le temps de demander de qui il parle :

— C'est précisément pour ça que je vous ai demandé de venir aujourd'hui, Charly. Pour que vous m'aidiez à choisir ma fin...

Je secoue la tête, l'air désolé, et je lève la main pour le détromper.

— Je n'ai pas le droit d'exercer ici...

— Ce n'est pas au médecin que je m'adresse. C'est au... chercheur. Ah, non, on ne dit pas ça en français. (Il sourit de nouveau.) *I'm talking to the investigator*[1].

Il m'intrigue encore plus.

— Okay... Comment puis-je vous aider ?

— Je ne sais pas combien de temps il me reste. J'aimerais revoir mon fils, Joshua. *Would you help me bring him back, please ?*

Je ne m'attendais pas à ça et je mesure ce que cette simple question contient d'imploration et de désespoir, mais ce n'est pas la charge symbolique de la tâche qui me pousse à répondre.

— Vous aider à le ramener... Déjà, pour le retrouver...

— Non, non, je n'ai pas besoin que vous le retrouviez. Je sais où il est.

— Mais alors... ?

Il lève les yeux vers le mur couvert de photographies. Sur la deuxième série, plusieurs portraits montrent Kathleen et Joshua au fil des années. Un seul cliché rassemble le père et le fils. Ce dernier doit avoir dix-huit ans, il porte la robe et le chapeau carré des « finissants » – les diplômés de fin de second cycle d'une école probablement anglophone. Son père et lui se tiennent côte à côte, raides, sans se toucher.

— Je n'ai jamais eu de très bonnes relations avec Joshua. Il a toujours été plus proche de sa mère... Ce qui explique qu'il m'ait reproché sa disparition.

— Vous avez dû souffrir beaucoup...

— Oui. La souffrance de le perdre est intimement liée à celle d'avoir perdu Kathleen. Je ne suis pas croyant, je suis un rationaliste, mais je pense que ce cancer est ma punition pour n'avoir pas su aimer Kathleen et Joshua comme je l'aurais dû.

1. En anglais, le mot *investigator* désigne aussi bien un médecin dirigeant un essai clinique qu'un enquêteur criminel.

Je regarde le vieil homme. Soudain, je me rends compte qu'il fait très chaud dans le bureau. Le soleil qui entre par la baie vitrée m'éblouit. Je me lève et, pensivement, je déambule dans la vaste pièce en prenant garde à ne renverser aucune des piles de documents.

— Vous aimeriez que j'aille parler à votre fils... C'est ça ?

— Oui.

J'ai d'abord envie de demander : « Pour lui dire quoi ? » mais je change d'avis.

— Pourquoi moi ?

— L'ami qui m'a parlé de vous a mentionné vos grandes qualités... psychologiques. Votre empathie de médecin et... d'*investigator*.

« L'ami » qui lui a parlé de moi ? Il n'a pas l'air de vouloir me dire de qui il s'agit, et je résiste une nouvelle fois au désir de le lui demander.

— *Mmhhh.* C'est purement subjectif. Je ne suis pas un professionnel de l'enquête privée...

— Je sais, vous êtes un professionnel de la relation humaine. Et c'est cela qui m'intéresse. Les *private investigators,* j'ai déjà eu affaire à eux. Ils m'ont aidé à retrouver Joshua. Ils ne peuvent pas le convaincre de venir me voir.

— Monsieur La Chance, je suis la personne la plus mal placée pour convaincre qui que ce soit.

— *I know. I just want you to talk on my behalf.* Servir de... comment dites-vous *go-between ?*

— D'intermédiaire ?

— Oui. Et même de médiateur.

— Encore une fois, pourquoi moi ? Je ne connais pas votre histoire, et vous ne me connaissez pas.

— Moi, non. Mais celui qui m'a parlé de vous...

— Vous m'étonnez, monsieur La Chance. Personne ne me connaît, ici...

— Ici, non. En France, on vous connaît.

Il désigne le mur.

— Septième photographie en partant de la gauche...

La photographie représente deux hommes souriants. Owen porte chemisette et pantalon ample, et il est coiffé d'une casquette de base-ball. L'autre homme, très grand, en complet de toile blanc, est coiffé d'un ample panama. Il arbore une fine moustache et le sourire malicieux de celui qui aime mystifier. Je sens un frisson me parcourir. Ce même sourire, Raoul me l'a décoché, il y a quelques mois, juste avant d'embarquer dans la Torpédo qui l'emportait loin de Lermignat. Et de m'avoir conseillé la lecture d'un article consacré au CRIE, un centre de recherches de l'université de Montréal.

Décidément, cet homme n'en finira jamais de me surprendre. Ses symptômes d'Alzheimer me font trop vite oublier qu'il a bourlingué sur tous les continents et vécu des aventures extraordinaires. D'après Jean, le réseau de relations que Raoul a entretenues tout au long de sa vie de *gentleman... globe-trotter* est extrêmement étendu. Il semble connaître et s'être lié d'amitié à un nombre considérable de personnalités influentes de par le monde. Il s'en est toujours expliqué en déclarant avec humour qu'il n'a fait que « reprendre l'affaire de son père » – personnage lui-même très trouble, qui aurait eu par le passé souvent maille à partir avec la justice – en s'efforçant de la « moraliser ».

À plusieurs reprises, j'ai demandé à Jean ce qu'il savait des « affaires » de Raoul. Il m'a répondu que jamais il n'irait mettre son nez dans les affaires de celui qu'il aime comme un père, mais qu'à sa connaissance Raoul est moralement irréprochable. Connaissant la rectitude de Jean, j'en suis resté là.

Je hoche la tête et je me tourne vers Owen.

— Je connais Raoul d'Andrésy, et mon meilleur ami le connaît depuis beaucoup plus longtemps que moi, dis-je, mais je ne pouvais pas me douter...

— C'est un de mes plus vieux amis, explique Owen. Il m'est souvent venu en aide, par le passé, bien avant que je rencontre Kathleen, mais aussi par la suite. Quand elle est repartie vivre sur la baie James, elle ne voulait aucune aide de ma part, et j'étais très inquiet pour elle. Raoul avait des... contacts là-bas et il m'a promis qu'on veillerait sur elle. Jamais je n'aurais imaginé qu'elle serait en danger *ici*...

Je ne veux pas l'interroger sur la mort de sa compagne, mais je sens qu'il me tend une perche.

— Pardonnez-moi de vous poser cette question mais... avez-vous la moindre idée sur l'identité de l'assassin ?

Il met un moment à me répondre.

— C'est sûrement quelqu'un qu'elle connaissait, car il n'y a pas eu d'effraction. Elle ouvrait volontiers à tout le monde, mais si elle avait été attaquée par un inconnu, elle ne se serait pas laissé faire.

— Vous voulez dire qu'elle n'a pas opposé de résistance ?

— Elle ne s'est pas battue longtemps, non. Comme si elle avait été surprise... Elle n'avait peur de personne. Elle se serait défendue.

— Ce n'était pas un cambriolage, alors ?

— Sûrement pas, il y avait quelques livres et papiers sur le sol, comme s'ils étaient tombés pendant qu'elle se débattait, mais il ne manquait rien, que je sache. Elle avait des gravures de valeur, on ne les a pas prises. On a conclu à un crime de circonstance. Mais je suis sûr que Kathleen connaissait son assassin...

J'ai le sentiment qu'il va m'en dire plus, mais il secoue la tête et poursuit :

— Ce n'est qu'une pensée obsessionnelle, pas une preuve ou une certitude. Et de toute manière, ce n'est pas mon souci aujourd'hui. Peu m'importe qui l'a tuée. Je suis mort ce jour-là, moi aussi. S'il n'y avait pas Alice... Mais de toute manière, je vais bientôt disparaître. Seulement, j'ai besoin de savoir...

Il sort un papier de la poche de sa chemisette.

— Voici l'adresse où vous trouverez Joshua. J'aimerais que vous alliez le voir de ma part pour lui poser une question, une seule. Et je n'attends pas qu'il vienne me donner la réponse, ni même qu'il vous la donne. Je veux simplement qu'il prenne conscience de ce que cette question implique.

J'attends, sans rien dire. Après un nouveau long silence, il murmure :

— Est-ce qu'Alice est sa fille ?

14

The Hangover

2910, boulevard Édouard-Montpetit

Lorsque je sors, perplexe, de la maison d'Owen La Chance, la lumière réveille mon mal de crâne et me colle le vertige. Et je ne comprends pas. Certes, je suis encore *jetlaggé* mais, à elle seule, la bière blanche dont les filles m'ont abreuvé hier soir ne peut pas m'avoir mis dans cet état. Tel un homme ivre, je titube jusqu'à l'arrêt de la ligne 24, je somnole dans le bus et le métro jusqu'à l'université et j'arpente comme un zombie le boulevard Édouard-Montpetit.

Au cinquième, la porte du CRIE est fermée, je suis le premier arrivé. Je sors mes clés et je peste parce que je n'arrive pas à déverrouiller la porte.

Derrière moi, j'entends des chaussures à talons arpenter le couloir. C'est Jennie Chen. Elle est radieuse, souriante, et tandis que sa longue silhouette est celle d'une femme méditerranéenne, son visage, étrangement, a des traits extrême-orientaux. Est-elle italo-japonaise ? Gréco-coréenne ? En tout cas, elle a l'air très heureuse de me voir, ce qui augmente ma confusion.

— Bonjour Charly, me dit-elle doucement, avec un sourire que j'ai du mal à décrypter. Comment allez-vous ?

Je me frotte la tempe. Comment vais-je me tirer de la mauvaise passe où je me suis fourré quelques heures plus tôt ?

— *Mmhhh.* J'ai un peu trop bu hier soir, je suis désolé…

— De quoi ? répond-elle immédiatement, sans l'ombre d'un reproche. Vous étiez fatigué par votre voyage et le décalage horaire. Je comprends très bien.

Je la regarde. Ses yeux ne manifestent aucune gêne, aucune ironie, aucun reproche. Quelque chose ne colle pas. Je tourne mon trousseau de clés sans savoir quoi en faire.

— Jennie, je vais vous poser une question qui va vous paraître peut-être bizarre…

— Dites, je vous en prie…

— Est-ce qu'hier j'ai dit ou fait des choses… inappropriées, au bar… puis quand vous m'avez raccompagné chez moi, toutes les trois ?

Ses yeux s'écarquillent.

— Au bar ? Pas du tout. La seule chose étrange c'est que, juste après le spectacle, vous étiez très bavard et, après une bière seulement, vous n'avez plus rien dit…

— Vraiment ?

Son sourire s'atténue. Elle semble surprise que je ne la croie pas.

— Oui… Et je ne sais pas ce que vous voulez dire par « quand nous vous avons raccompagné ». Personne ne vous a raccompagné. Vous vous êtes levé sans un mot, vous nous avez saluées et vous avez quitté le bar. (Son sourire réapparaît, moqueur cette fois-ci.) Adélaïde et Réjane étaient très déçues de vous voir partir. Moi aussi, d'ailleurs !

Qu'est-ce que c'est que cette histoire ?

— Vous voulez dire que je suis rentré seul chez moi ?

C'est à son tour de me regarder avec perplexité.

— Mais… oui ! Vous… aviez le sentiment d'avoir été… raccompagné ?

Je me sens rougir des pieds à la tête. Elle pose la main sur mon bras.

— Il faut que je vous avoue quelque chose. (Son sourire devient pénitent.) En vous voyant partir, je me suis fait du souci, je me suis dit que vous auriez peut-être du mal à rentrer chez vous et, une minute après votre départ, je suis sortie dans la rue (elle baisse les yeux). Vous montiez dans un taxi… Ça m'a rassurée.

Sa sollicitude ne fait qu'accroître ma gêne.

— J'étais vraiment fatigué, je crois, dis-je en riant. Je ne me souviens pas bien de ce que j'ai fait hier soir.

Elle rit à son tour et désigne mes clés.

— Vous n'avez pas dormi dehors, j'espère !

— Non, non, bien sûr.

Je suis sur le point de me rendre ridicule en tentant de nouveau de pénétrer au CRIE, mais Jennie a déjà sorti sa propre clé et, sans faire la moindre remarque, déverrouillé la porte.

Tandis qu'elle se dirige vers son bureau, je rejoins le mien et je tourne la poignée en espérant ne pas avoir fermé hier. Ah, mais si. Mes mains tremblent. Je reste debout devant la porte.

— Ta clé ne fonctionne pas ? demande une voix derrière moi. C'est Marlon, son sac sur le dos. Je lui tends le trousseau. Il ouvre.

— Je ne suis pas bien réveillé, dis-je pour m'excuser.

— Ça ne fait rien, on fera installer un lit de camp. Ou bien (il me fait un demi-sourire et désigne l'autre bout du couloir) tu peux aller faire la sieste dans le bureau des étudiants, si tu veux, ils ont un canapé !

— Non, je crois que je vais somnoler devant mon écran…

Il hoche la tête et me fait une moue d'appréciation, puis disparaît dans son bureau.

Assis devant mon écran, je secoue la tête violemment pour m'assurer que je ne rêve pas. Enfin, que je ne rêve plus. Je n'ai pas de raison de douter de ce que Jennie m'a dit. Toute la scène de ménage à quatre, hier, était donc une hallucination. Ce qui ne met pas fin pour autant à mes interrogations : je n'ai pas pu rentrer seul dans cet état ; et encore moins verrouiller la porte derrière moi. Première question : pourquoi étais-je dans cet état ? La réponse coule de source : j'ai été drogué. Quelqu'un a glissé du GHB ou une benzo ou un produit similaire dans mon verre, comme le font certains salauds pour violer les femmes qu'ils rencontrent dans les bars. En l'occurrence, ce n'était pas pour me violer...

Énervé, je secoue la souris du Mac. L'écran s'illumine. Et je comprends.

C'était pour entrer dans l'appartement avec moi et consulter le contenu de l'ordinateur !

Brusquement, mon trajet hallucinatoire de la veille prend une autre signification. Je ne suis pas monté seul dans ce taxi. J'étais accompagné. Je n'aurais pas pu halluciner la présence des trois femmes si je n'avais pas eu quelqu'un à mes côtés. L'une d'elles m'a-t-elle drogué pour permettre à ce quelqu'un de m'intercepter sur le chemin du retour ? En tout cas, elle m'a selon toute vraisemblance pris les clés des mains, m'a poussé vers mon lit et a cherché à accéder au contenu de l'ordinateur de Kathleen. Pour y chercher quoi ? Et disposait-elle du code d'accès ?

Et qui m'a drogué ? Je suis tenté de rayer Jennie de la liste. Rien, dans son attitude de tout à l'heure, ne m'a semblé suspect. Elle m'a paru véritablement surprise en m'entendant lui poser des questions sur la soirée. Mais je ne la connais pas. Pour ce que j'en sais, c'est peut-être la meilleure comédienne du monde...

Dois-je parler de cet incident à Owen ? Mon premier mouvement est de prendre le téléphone pour l'appeler, mais je ne compose pas son numéro. Me croira-t-il ? Rien n'est sûr, dans cette histoire. Ce n'est peut-être qu'une construction de mon imagination. Je ne veux pas lui donner à penser que je perds la boule, ou que je ne suis pas fiable. Il m'a confié une mission difficile, je dois m'en acquitter. Pas seulement pour lui venir en aide, mais aussi par respect pour sa confiance – et celle de Raoul.

So, what's the next move, Charly ?

Sur le bureau, un bock vide me fait de l'œil. Je me lève, je vais le rincer dans la minuscule cuisine et me faire un café.

15

Les victimes

Sur la table de la salle de réunion, quelqu'un a laissé un exemplaire de *La Presse* daté d'hier. Je pose ma tasse, je m'installe, je tourne les pages machinalement. Un entrefilet en quatrième ou cinquième page attire mon attention : « *Trois itinérants agressés ces dernières quarante-huit heures.* » L'article raconte brièvement que trois hommes ont été roués de coups pendant qu'ils gisaient dans la rue, endormis ou en état d'ébriété, par un ou des agresseurs inconnus. L'un d'eux a été hospitalisé dans un état grave ; les deux autres ont été soignés pour des blessures au visage et des fractures de côtes ou d'un membre. Le témoignage des victimes n'a pas permis d'identifier le ou les agresseurs. On s'interroge sur les motifs de cette violence. Une phrase attire mon attention. Les trois victimes sont des autochtones.

— Bonjour… fait une voix derrière moi.

Je me retourne. Une femme vient d'entrer, une tasse à la main.

— Je suis Lucie-Anne Jones.

Je me lève.

— Bonjour. Charly Lhombre. Je suis chercheur invité.

— Ah oui, on m'a annoncé votre arrivée…

Elle est petite et brune ; elle arbore la poitrine tendue et les cernes sous les yeux des jeunes mères qui allaitent et dont le bébé ne fait pas ses nuits. Elle ne me sourit pas.

— Et je crois savoir que vous rentrez de congé de maternité...

Elle ne répond pas, se dirige vers la machine à café, règle le débit, appuie sur le bouton, remplit sa tasse, la porte à ses lèvres, me regarde, hésite, puis vient s'asseoir à la table.

— Vous avez des enfants ?

Le ton est agressif.

— Euh... non.

— Vous voulez le mien ?

Je me retiens d'éclater de rire.

— *Mmhhh.* C'est un garçon...

Elle lève les yeux de sa tasse.

— Comment avez-vous deviné ?

— J'avais une chance sur deux de me tromper... Quel est son nom ?

— William. Will.

— Un nom approprié pour un enfant qui a du caractère...

— C'est ce que dit son père... répond-elle sur un ton douloureux.

Cette femme n'est pas seulement fatiguée, elle est en colère ; elle est désespérée et fait tout son possible pour ne pas le montrer.

— Vous ne deviez pas reprendre le travail lundi ?

— Je n'en pouvais plus de tourner en rond dans mon appartement. J'ai confié Will à ma mère. Je lui ai dit que j'avais des étudiants à recevoir.

— Vous avez bien fait.

Elle me regarde, perplexe.

— Vous trouvez ?

— Bien sûr.

— Je me sens coupable d'avoir fui mon petit.

— Vous ne l'avez pas jeté dans une benne à ordures, vous l'avez confié à votre mère.

— Vous ne connaissez pas ma mère ! s'exclame-t-elle.

— Bah, je suis sûr que Will est de taille ! S'il est capable de vous épuiser…

Elle éclate de rire cette fois-ci.

— Oui, il est de taille. Et puis, c'est elle qui me l'a proposé. Comme je n'en pouvais plus, j'ai cédé.

— Vous avez bien fait. Plutôt que l'étrangler ou le passer par la fenêtre…

Elle rougit et rit, moins fort, pour cacher son embarras.

— Comment saviez-vous…

— Je suis médecin de famille. Des mères qui avaient envie d'étrangler leur petit, j'en ai vu dix par semaine, à certains moments de ma carrière.

— Ah. C'est si fréquent que ça ?

— Je ne connais aucune mère qui n'ait pas eu ce désir au moins une fois. Et j'en connais plein qui l'ont eu à de nombreuses reprises.

Elle s'enfonce sur sa chaise comme si elle fondait.

— Ah, alors… ce n'est pas monstrueux…

— Pas du tout. C'est même inévitable. Avoir envie d'étrangler ses enfants, c'est sain pour les parents – ça leur apprend qu'ils sont des êtres humains – et ça n'est pas dangereux pour les enfants.

— Vraiment ?

Je fais une moue professionnelle.

— Vraiment. Ce qui est dangereux, ce n'est pas d'avoir envie de les étrangler, c'est de passer à l'acte.

Elle éclate de rire une fois encore.

— Merci…

— Je vous en prie.

— On devrait vous embaucher comme psychologue du service, dit-elle avec ironie.

Je réplique sur le même ton.

— Je vais en parler aux chefs… Ils seront sûrement d'accord.

Son visage se ferme brusquement.

— Il n'y a pas de *chefs*, au CRIE. Un chef, c'est quelqu'un qui assume ses responsabilités…

Comme si elle en avait trop dit, elle se mord la lèvre et, sans un mot, sort de la pièce.

*

Surpris par le déroulement de cette escarmouche, je ramasse le journal et je retourne à mon bureau pour approfondir les informations que j'y ai lues. Le site Internet de *La Presse* ne m'en apprend guère plus sur l'attaque qu'ont subie les trois itinérants, mais une recherche ciblée sur les agressions dans l'île de Montréal m'informe que les itinérants sont souvent admis aux urgences des hôpitaux de la ville pour des traumatismes divers et variés. Si j'avais accès à la base de données des forces de l'ordre… Malheureusement, je ne suis pas à Tourmens, et ici je n'ai pas d'accréditation.

Cette affaire d'agression me tracasse (Raoul dirait malicieusement : « Ça te *turlupine*… »). Ma rencontre, il y a deux soirs, avec les damnés de la terre, et l'histoire d'Owen, Kathleen et leur fils m'ont sensibilisé, sans doute. Malheureusement, les itinérants sont une population surexposée à la violence, à la maladie et à toutes les misères du monde, mais un autre détail consigné dans l'article a attiré mon attention : les trois hommes agressés étaient hébergés par le foyer Kathleen Cheecho, sur Ferron et Ontario.

Que me disait Raoul, un jour de confidences ?

« Une fois, c'est un hasard ; deux fois, c'est peut-être une coïncidence. Mais trois fois, c'est sûrement une machination. »

16

Family Plot

J'entends des talons féminins dans le couloir. Les pas s'arrêtent, une voix murmure : « Bonjour... »

Je fais pivoter mon siège. Adélaïde se tient sur le seuil de mon bureau. Je me sens rougir et puis je me rappelle ce que Jennie m'a dit : hier soir, je n'ai rien fait d'*inapproprié*, je me suis seulement rendu un peu ridicule. Et j'avais des circonstances atténuantes.

— Bonjour Adélaïde...

Elle reste à demi cachée dans le couloir, je ne vois que sa main posée sur la poignée de la porte entrouverte, son bras tendu, l'arrondi de son épaule, son visage, son sourire. Elle a souligné ses yeux verts d'un trait noir, ses lèvres d'un gloss rose pâle ; elle porte un chemisier blanc, me semble plus grande qu'hier, sans doute en raison des talons qui m'ont annoncé son arrivée. Et j'ai bien l'impression – mais je prends peut-être mes désirs pour des réalités et je suis encore vaseux – qu'elle me dévore des yeux.

— Vous venez (*Ah, elle est revenue au vouvoiement*) à la présentation ?

— La présentation ?

— Oui, dans la salle de réunion. Malvina présente

un chapitre de sa thèse et tout le monde est invité à réagir, à lui faire des suggestions…

— Okay… Quel est le sujet ?

— Les discriminations parmi les itinérants.

Je lève un sourcil.

— *Parmi ?*

Elle me sourit, fait deux pas à l'intérieur du bureau et s'appuie avec beaucoup de grâce, les mains derrière le dos, au chambranle de la porte. Le haut de son chemisier est déboutonné et elle ne porte rien dessous.

— Oui, il y a de la discrimination à l'intérieur de tous les groupes, y compris les plus défavorisés. Ces conflits sont souvent ignorés et ils ont une incidence sur la manière dont les itinérants sont pris en charge.

— Ah oui, j'ai lu quelque chose sur le fait que les itinérants autochtones ne veulent pas fréquenter les mêmes foyers que les itinérants blancs… C'est d'ailleurs pour cette raison que Kathleen Cheechoo avait créé un foyer spécifique.

— Eh bien justement, la thèse de Malvina s'inspire de cette expérience. Le chapitre qu'elle va nous présenter compare les discriminations ethniques à l'époque de la création du foyer à ce qu'elles sont aujourd'hui.

— Je vois…

Les épaules et la poitrine d'Adélaïde frémissent comme si elle avait froid.

— Vous venez ? Je suis sûr que ça vous intéressera.

Je regarde un court instant mon ordinateur. Je regarde Adélaïde de nouveau. Je penche la tête.

— Si vous y allez aussi…

Elle fond.

Je me dis que j'aurais tort de ne pas en profiter.

*

Dans la salle de réunion, une douzaine de personnes sont venues écouter la présentation. Je m'assieds entre Adélaïde et Jennie, qui est déjà installée. De l'autre côté de la pièce, debout près de la machine à café, Lucie-Anne Jones échange des monosyllables avec Leonard Landau. Des visages que je ne connais pas encore entrent, un sac, un conteneur ou un sandwich à la main. Il est midi. Au CRIE, on dîne et on écoute dans la même salle, simultanément.

*

J'entends la présentation de Malvina d'une oreille. Ce qu'elle décrit est essentiellement la base théorique, philosophique, de son travail. Les principes qu'elle expose me sont étrangers, et je n'arrive pas bien à suivre. Et puis, je suis fatigué par tout ce que j'ai amassé en quelques jours. La requête d'Owen, ce matin, m'a bouleversé. Je n'ai pas pu lui dire non, mais je ne sais pas bien sous quel prétexte et comment je pourrai aller aborder son fils et lui poser *la question à mille piasses.*

Pendant que Malvina fait défiler un diaporama bourré à craquer, mes yeux se posent sur les membres de l'assistance et j'essaie de faire le point pour ne pas m'endormir.

Je ne suis pas seulement arrivé en terre étrangère. Je suis tombé dans une histoire de famille. Et je ne sais pas très bien ce que j'y fais. En quelques jours, j'ai appris beaucoup plus que je ne le désirais sur les principaux acteurs du CRIE. Plus, parce qu'il m'a bien semblé deviner, entre les lignes, des relations tues entre certains acteurs du drame. Ou de la tragédie. Plus encore parce que je fais l'objet, de la part de plusieurs personnes ici – en plus d'Owen La Chance lui-même –, de sollicitations étranges.

J'ai le sentiment d'être le Terence Stamp d'un théorème dont je n'ai pas toutes les données. Mais dans le film, le personnage de Stamp, au moins, savait ce qu'il faisait et pourquoi il était là.

— … les femmes autochtones font souvent l'objet d'agressions sexuelles, et comme elles n'ont pas accès aux services qui pourraient leur procurer une contraception d'urgence, nombreuses sont celles qui se retrouvent enceintes et qui poursuivent leur grossesse, car l'avortement est considéré comme contre nature dans de nombreuses cultures autochtones.

Malvina cesse de parler et regarde l'un des membres de l'assistance comme si on lui posait une question. Elle se met à tripoter nerveusement le mince foulard qu'elle porte noué autour de son cou. Je me retourne et je vois Hugh et Leonard penchés l'un vers l'autre qui échangent quelques mots. Hugh prend conscience du silence de la jeune femme.

— Toutes nos excuses, Malvina, continuez, je vous en prie.

L'oratrice reste figée pendant une seconde, lui jette un regard indéfinissable et poursuit, avec quelque difficulté.

— … De plus, ces femmes utilisent l'allaitement comme méthode de contraception, et leur timidité les empêche de consulter pour demander des condoms ou d'autres contraceptifs… Les centres d'accueil pour les itinérantes autochtones devraient donc comprendre un accueil tourné vers les besoins spécifiques de ces femmes et leurs caractéristiques culturelles. Malheureusement, le plus souvent, l'incompréhension des soignants à l'égard des itinérants autochtones est grande, et les professionnels de santé issus des peuples autochtones préfèrent rentrer dans leur communauté plutôt qu'exercer dans les grandes villes où les populations itinérantes sont les plus nombreuses. La délivrance des soins de santé n'en est que plus difficile.

À mes côtés, Adélaïde écoute pensivement Malvina, tandis que Jennie prend des notes fournies. De l'autre côté de la table, Lucie-Anne Jones semble fusiller Leonard Landau des yeux. À sa gauche, Marlon gribouille quelque chose.

17

Contact

— Qu'avez-vous pensé de la présentation ? me demande Jennie.

De l'autre côté de la pièce, Malvina est en train de ranger son ordinateur.

Je soupire en secouant la tête.

— Malheureusement, ça m'a rappelé furieusement ce qui se passe chez moi...

— Vous avez le même genre de problèmes en France ? Mais vous n'avez pas de femmes autochtones...

— Non, mais nous avons beaucoup de femmes immigrées et des femmes migrantes. Des Roms, des Manouches, des Tziganes... Dans ma région, il y en a beaucoup. Elles sont le plus souvent de passage, ou ne restent là que quelques mois. Et pour leur procurer des soins, c'est souvent la croix et la bannière. Un grand nombre de médecins ont pris la mauvaise habitude de demander aux patients qui prennent rendez-vous par téléphone s'ils bénéficient de ce qu'on appelle en France la Couverture maladie universelle, le système de protection des plus démunis. Et, quand on leur répond oui, ils reportent les rendez-vous aux calendes.

Malvina s'est approchée et m'a entendu répondre.

— Mais pourquoi ?

— Parce que ce ne sont pas des patients « intéressants », ou suffisamment rémunérateurs à leurs yeux. Bref, parce qu'ils sont pauvres et que beaucoup de médecins ont des préjugés et un comportement de classe...

Jennie ouvre de grands yeux.

— Mais la France... Pour nous, c'est le pays des droits de l'homme, le pays des Lumières... Je n'arrive pas à croire...

Je lui fais un sourire navré.

— Vous n'êtes jamais allée là-bas ?

— Si, mais seulement quelques jours, en congrès... C'est un pays magnifique...

— Oui. Le pays est magnifique. Les institutions le sont moins. Et la mentalité de certains professionnels est proprement hideuse... Mais pour en revenir à la présentation, dis-je en regardant Malvina du coin de l'œil, j'ai trouvé ça très intéressant, bien sûr. Et je me demandais si vous étiez déjà allée au foyer de la rue Ferron...

— Oui, bien sûr. Tout le monde ici s'y rend régulièrement.

— Que voulez-vous dire ?

Malvina a fait le tour de la table et répond :

— Deux fois par mois, un membre du CRIE se rend au foyer pour faire une lecture publique, ou donner une conférence bénévole à l'intention des personnes qui y séjournent ou y prennent leurs repas.

— Des lectures, des conférences... Sur quoi ?

— Tous les sujets possibles. Certains sont demandés par l'équipe du foyer, d'autres par les pensionnaires, ou proposés par l'un d'entre nous. Ce n'est pas obligatoire mais en tant que chercheur invité, vous pourriez en faire une, Charly...

Elle bat des cils et serre son ordinateur contre elle

comme une collégienne devant une vedette de la chanson.

— Moi ? Qu'est-ce que je pourrais bien raconter...

— Voyons donc ! intervient Adélaïde, qui est revenue sur ses pas. Vous pourriez parler de la France, tout simplement. Ce ne sont pas les touristes qui vont le faire...

— C'est une très bonne idée ! s'exclame Jennie.

Malvina bat des cils encore plus vite et pose la main sur mon bras. Adélaïde semble avoir envie de l'étrangler. Jennie sourit, innocente.

— Je vais faire une lecture au foyer demain soir, dit l'étudiante sans lâcher ni mon bras, ni mon regard.

— Ah oui ? Que lisez-vous ?

— *Siddharta*, de Hermann Hesse. Vous connaissez ?

— Oh oui...

Elle ne sait pas à quel point. Quand nous étions étudiants, la nuit, Dominique me le lisait, entre deux étreintes passionnées...

— Mais je viendrai.

Son sourire s'élargit.

— C'est samedi soir ? demande Jennie. Quel dommage ! Je n'ai personne pour garder Hypathie... Une autre fois.

— Je serai là, dit Adélaïde sur un ton acide. Je voudrais pas rater ça.

De retour dans mon bureau, je referme derrière moi et je m'adosse à la porte. J'ai promis à Owen d'aller voir son fils mais jusqu'ici, je n'avais aucune idée de la manière dont j'allais l'approcher sans le faire fuir. Malvina vient de me la donner. Car, depuis trois semaines, Joshua vit dans le foyer créé par sa mère.

*

Sur mon bureau, j'ai noté le numéro de téléphone de Dominique, trouvé dans les pages jaunes de Sherbrooke. Elle ne m'a pas donné son adresse, mais je doute que la docteure Dominique Damati qui exerce au Centre de réadaptation en dépendances et santé mentale de l'Estrie soit un homonyme. Je regarde l'horloge de l'écran. Il est 14 heures. La connaissant, elle est sûrement au boulot.

La secrétaire qui me répond me demande mon nom, puis me met en attente. Je me dis : « Elle va me faire dire qu'elle est trop occupée », je me fais un film – elle ne veut plus me voir, elle ne veut plus me parler, elle ne veut plus rien savoir de mon existence – mais avant que j'aie pu dérouler toute la pellicule, j'entends sa voix :

— *Charly ?*

— Oui...

— Ah, comme je suis heureuse de t'entendre ! Alors, c'est vrai ? Tu vas venir au Québec ?

J'ouvre de grands yeux, mais je souris. J'avais oublié que Dominique était presque aussi déconnectée que les patients dont elle aime s'occuper.

— Je *suis* au Québec. Je suis arrivé à Montréal avant-hier !

— C'est vrai ? Ah, comme je suis contente ! Quand est-ce que tu viens nous voir ?

Oups. *Nous... ?*

— Euh, je sais pas. Tu m'invites quand ?

— Quand tu veux ! Enfin, presque ! En ce moment, j'ai du travail jusqu'au cou, je te raconterai, là je suis entre deux patients, si tu voyais ma salle d'attente !

— Tu... t'es bien acclimatée, alors ?

Elle rit.

— Acclimatée ? Je suis chez moi, ici. Mille fois mieux qu'à Tourmens. M'installer à Sherbrooke est la meilleure chose qui me soit arrivée, à tous points de vue !

— Ah oui ? Raconte-moi ça...

— Pas maintenant, il faut que je retourne travailler, tu as le téléphone chez toi ?

— Pas encore. Mais je te donne le numéro du bureau, la boîte vocale me transmet les appels par courriel.

— Vas-y, je note…

Je lui donne mon numéro, elle m'embrasse, on raccroche.

Et je comprends que la Dominique à qui je viens de parler n'est plus celle que j'ai vue partir.

18

For Your Eyes Only

Saint-Denis/Mont-Royal

Pour me changer les idées, je surfe tout le reste de l'après-midi, je visionne des dizaines de bandes-annonces de films, je lis des critiques en ligne, j'use et abuse du réseau de l'université pour consulter les sommaires de toutes les revues dont le nom m'intrigue et télécharger un nombre incalculable d'articles scientifiques consacrés aux sujets les plus variés – en sachant qu'il me faudra environ cinq ans pour lire tout ça.

Je me sens abattu, inefficace, engourdi. Quand je quitte le CRIE, il est 19 heures. Tous les bureaux sont clos, je me rappelle vaguement que Marlon est venu me dire bonsoir tout à l'heure, tout le monde est parti... à l'exception de Jennie Chen dont la porte est encore ouverte là-bas, à l'autre bout du couloir.

J'hésite un instant. Est-ce que j'y vais ? J'aime bien Jennie. Et je n'ai pas envie de passer la soirée seul. Mais je déteste l'idée de l'encombrer sous prétexte que Dominique n'avait rien à me dire tout à l'heure... Sans réfléchir, j'avance dans le couloir. Arrivé à quelques mètres du bureau, j'entends une conversation. Jennie Chen est au téléphone. Je me sens de trop.

Je rebrousse chemin et je descends les cinq étages. Au rez-de-chaussée, un homme en chemisette et pantalon gris sort des toilettes, des chiffons et un flacon de détergent à la main.

— Bonsoir ! Vous travaillez tard !

Il a un accent hispanique.

— Oui... Vous aussi ! dis-je bêtement.

— Eh oui, tôt le matin, tard le soir. Mais j'habite dans l'immeuble, alors je peux me lever au dernier moment !

Il me tend la main.

— Je suis Francisco.

— Moi, c'est Charly.

— Vous travaillez au CRIE, c'est ça ? Au 510 ?

— Oui.

— Si vous avez un souci – une fenêtre qui n'ouvre pas, ou une serrure cassée –, appelez-moi. Au 333.

— Okay. C'est gentil...

— Non, c'est mon travail, répond Francisco avec un grand sourire.

— Et ça arrive souvent, ce genre de problème ?

— Oh, plus qu'on ne pense ! L'autre jour, M. Landau n'arrivait pas à fermer sa porte, et il a cassé sa clé dedans. Il a fallu que je change la serrure. Heureusement, la porte était restée ouverte, autrement j'aurais dû la défoncer !

— Oui, dis-je pensivement. C'est une chance...

*

Pour rentrer rue Ferron, je prends le 51, et, arrivé à Laurier, je descends Saint-Denis jusqu'au carrefour de Mont-Royal. Il y a du monde, la rue bruit comme le soir de mon arrivée. On est vendredi soir, le Canadien affronte de nouveau les Flyers, il y a beaucoup d'hommes dans les cafés, beaucoup de femmes seules aux terrasses...

Sur Mont-Royal, je passe devant plusieurs bouquinistes et vendeurs de CD d'occasion. L'un des magasins est encore ouvert.

J'entre et je me retrouve dans une caverne d'Ali Baba pour cinéphiles : des dizaines de DVD à prix réduit, classés par ordre alphabétique, par genre, par époque. Qui est suffisamment obsessionnel pour… ?

L'homme qui se tient derrière le comptoir, probablement.

Il porte une chemisette blanche impeccable et fraîchement repassée, son crâne est parfaitement rasé et il tient dans sa main un livre qu'il n'a ouvert qu'à moitié – probablement pour éviter de briser la reliure. Son profil d'aigle et son crâne lisse évoquent irrésistiblement l'acteur Patrick Stewart.

Il lève les yeux à mon entrée, me salue d'un signe de tête.

Je fouine pendant une heure et je tombe sur quelques gemmes à quatre dollars pièce : *Sullivan's Travels, Bluebeard's Eighth Wife* et *Random Harvest.* Quand je vais les porter à l'homme en chemisette, il me fait un sourire poli, hoche la tête en voyant les trois titres et me dit, sur le ton le plus sérieux qui soit : « Ça faisait longtemps qu'ils vous attendaient. » Il a, comme Hugh et Leonard, les intonations particulières des anglophones qui parlent le français du Québec.

Gêné, je souris en retour et je cherche mes mots.

— Personne n'en voulait ?

Son sourire s'élargit à peine.

— Personne ne regarde plus ce genre de films. En tout cas, personne de (Il penche la tête.)… de notre génération.

Je le regarde un peu plus attentivement et je penche la tête à mon tour.

— J'ai toujours regardé des films qui n'étaient pas de mon âge. D'ailleurs, dis-je en levant le pouce pour désigner l'entrée, le nom de votre boutique, *Disco*

Volante, c'est celui du bateau de Largo dans *Thunderball ?*

Cette fois, il me sourit de toutes ses dents.

— Tu es bien le premier qui saisit !

— Ah, j'ai regardé les premiers James Bond en boucle...

— Et moi, j'ai regardé *Thunderball* en boucle ! Sean y est pratiquement toujours torse nu et en caleçon de bain...

Il pousse un profond soupir qui me fait éclater de rire.

Manifestement, c'est l'effet qu'il recherchait. Il me tend la main par-dessus son comptoir.

— *I'm Donald. Call me Don.*

— Charly.

— Tu es au Québec en vacances ?

— N... non. Pas exactement. Enfin, à certains égards ça ressemble à des vacances, mais en principe je suis ici pour travailler.

Il attend que je poursuive.

— Je suis chercheur invité à l'université de Montréal.

— *Good for you !* Dans quel département ?

— Au CRIE. Le centre de recherches...

— ... interdisciplinaires en éthique. Oui. Je connais.

— Ah oui ?

— Oui. J'ai passé cinq mois là-bas.

J'ouvre de grands yeux.

— Ah oui ?

— Oui. C'était avant que je change d'orientation, dit-il en désignant la boutique. Et que j'abandonne mon doctorat... *The things we do for love*[1]...

Je lève les bras au ciel.

— *You're telling* me[2] *!*

1. Ce qu'on fait, par amour...
2. À qui le dis-tu !

Vingt minutes plus tard, attablés devant des bières dans un café de Saint-Denis, nous parlons de nos déceptions sentimentales respectives.

— Elle ne t'a même pas dit que tu lui as manqué ? demande Don, perplexe.

— Non. Elle a juste demandé : « Quand viens-tu nous voir ? »

Ses sourcils trahissent sa surprise.

— « Nous » ? *Oh, Man, that's bad...*

Je soupire.

— Je le pense aussi...

Et je lève mon verre.

— Et toi, alors ?

— Oh, moi, c'est simple et banal. Anton était libraire, je suis tombé en amour et je suis allé travailler avec lui. Quand il est mort – du sida... –, sa famille a vendu la librairie, le nouveau propriétaire n'avait plus besoin de moi. De toute manière, je ne voulais plus travailler là. Et comme je n'avais pas envie d'avoir un patron, j'ai pris la gérance de cette boutique.

— Okay...

Il devine ma pensée.

— Et tu te demandes si j'ai décidé de passer ma vie là, c'est ça ?

— Euh... non, c'est pas ça...

— *Sure, you do.* Mais ce n'est pas ma vie, c'est mon travail. Je n'ai pas besoin de beaucoup. Je lis, je regarde des films, je m'achète à manger, je paie mon loyer, je vois des copains aux fins de semaine...

Son regard se met à briller.

— Un jour, peut-être, je rencontrerai le grand amour. Une deuxième fois. Mais après Anton, j'ai peur que ce soit difficile...

— Tu me fais penser à un de mes amis... À mon meilleur ami...

— Oui ?

— Il est gay, lui aussi.

— Tu collectionnes les copains gays ?

— Pas vraiment. Avec toi, ça fait deux. Je ne me lie pas facilement avec les hommes, de toute manière...

— *I see*... Alors, ton ami ?

— Jean. Il n'a pas eu d'amant depuis... longtemps.

— *Still in the closet ?*

— Pour son entourage proche, non, tout le monde le sait. C'est un choix professionnel.

— Vraiment ?

— Il est juge d'instruction. *Prosecutor*, si tu veux. Enfin, quelque chose comme ça. Et en France, avant d'être nommé à ce poste, on est soumis à une enquête de moralité. Si tes... mœurs ne sont pas... conformes, tu ne peux pas être nommé à ce genre de poste. Sous prétexte qu'il faut être « moralement sans tache ».

— Quoi !!! Tu me parles de la France, là ? Non !!!

— Si... Et comme Jean le savait avant même d'entrer à l'école de la magistrature, ayant fait les quatre cents coups dans sa jeunesse, il a choisi de rester absolument chaste.

— Et... il a réussi ?

Je réfléchis un moment...

— Que je sache, oui... En s'immergeant dans son travail. Il est devenu une sorte de moine de la justice.

— *Jeez*...

Il engloutit une grande rasade de bière et demande malicieusement :

— *How is he ?* Il est *cute* ?

— Ah, écoute, je suis pas vraiment bien placé pour avoir un avis mais...

Je sors de ma poche un portefeuille bourré à craquer.

— Tiens, le voilà avec sa mère, Claude et... son père spirituel, Raoul, le compagnon de Claude.

Je tends la photo à Don, qui la regarde attentivement.

— *Handsome man*, fait-il sur un ton connaisseur. *What a waste*[1]...

1. Bel homme. Quel gâchis !

Il lève les yeux et me regarde avec chaleur.

— Ces gens… Ils sont comme ta famille, non ?

Je hoche la tête.

— *C'est* ma famille. Et ils sont partis faire le tour du monde…

— Pourquoi n'es-tu pas parti avec eux ?

— T'as combien de temps devant toi ?

— *All the time in the world…* jusqu'à l'ouverture demain matin.

Je pose mon verre vide et je fais signe à la jeune femme en noir qui nous a servis tout à l'heure.

— La même, s'il vous plaît.

— Pareil, fait Don en finissant la sienne.

19

A Portrait of Jennie

Vers une heure du matin, nous *jasons* toujours. Ça fait longtemps que je n'ai pas parlé comme ça avec un homme. Sans réserve, sans crainte, sans conflit, sans enjeu de pouvoir, sans image à préserver. Ce qu'il y a de bien dans le fait d'avoir des amis gays, c'est qu'on peut parler d'amour et de sexe sans se sentir tenu (même implicitement) de comparer les scores. On ne joue pas sur le même terrain.

Les problèmes sont cependant les mêmes, affirme Don. Je le lui concède mais je me demande si ça n'est pas plus simple pour lui.

— Comment ça ?

— Tu es un homme. Tu aimes des hommes. C'est plus facile pour toi de savoir ce qu'ils ont dans la tête que pour moi de savoir ce qui se passe dans celle d'une femme.

— *Don't be so sure... Gay guys lie just like straight dudes*[1].

— Je veux bien te croire, mais au moins ils ne te promettent pas le mariage...

1. N'en sois pas si sûr. Les mecs gays mentent autant que les hétéros.

— *Right !* Mais ils peuvent te faire *accroire* ce qu'ils veulent, tout pareil.

— *Mmhhh*... Alors, ça change rien d'être gay ?

— *Fondementalement*, non !

Je suis sur le point de le corriger et puis je m'étouffe en comprenant le jeu de mots. Il attend avec un demi-sourire que j'aie fini de tousser ma bière puis, sans perdre son sérieux, poursuit :

— *So, how do you like being at the CRIE*[1] ?

— Jusqu'ici, j'aime beaucoup. Ils sont très, très accueillants. Je n'ai jamais été aussi bien accueilli depuis que Claude et Jean m'ont invité à m'installer à Lermignat... Et toi, tu y es passé quand ?

— Il y a sept ans. Je faisais partie de la première vague de doctorants.

— Tu as connu Kathleen Cheechoo, alors ?

— Oh mon Dieu, bien sûr ! Elle était l'âme du CRIE. Il y avait toujours du monde dans son bureau, pièce 510. Juste à côté de la salle de réunion...

— *Damn !*

— Quoi ?

— C'est là qu'on m'a casé.

Don effleure le bord de son verre du bout de l'index, comme s'il voulait en tirer un son.

— Et tu habites où, déjà ?

— Oui... Toi aussi tu trouves que ça fait beaucoup ?

Il ne répond pas. Je suis en pétard.

— J'ai le sentiment d'être un pion sur un jeu d'échecs. À ceci près que je ne sais pas à quoi je suis censé servir.

Il lève la tête.

— *Elaborate.*

Je le regarde sans rien dire.

Il lève la main pour s'excuser.

1. Alors, tu te plais au CRIE ?

— *Sorry*, je ne veux pas être indiscret, ça ne me regarde pas.

D'habitude c'est moi qui recueille les confidences des autres. Mais en cet instant, je ressens un besoin profond de vider mon sac. Je viens de passer plusieurs heures avec lui sans l'entendre émettre l'ombre d'un jugement de valeur. Je le regarde. Je sens qu'il est digne de confiance.

Alors, je lui raconte tout ce qui m'a été dit depuis mon arrivée. Il m'écoute sans mot dire. De temps à autre, il fronce les sourcils ou esquisse un sourire.

Quand j'ai terminé mon récit, il hoche la tête pensivement et dit :

— *O what a tangled web we weave...*

Je termine la phrase.

— *... when first we practise to deceive*[1].

Son visage s'éclaire.

— Tu as lu *Marmion*[2] ?

— Oui. Mais la première fois que j'ai rencontré la citation, c'était dans un *comic-book*.

— *The X-Men* ?

— *Spider-Man*.

— Oui, c'est vraiment typique de Stan Lee[3] de citer Walter Scott. Ou Shakespeare.

— Je vois qu'on a eu les mêmes lectures...

— Oui et non, dit-il en riant. Quand j'avais quatorze ans, dans mon quartier, à deux rues de chez moi, Andy Forbes collectionnait les *comics*. Il avait

1. *Ô quelle toile enchevêtrée nous tissons/Quand nous œuvrons à tromper.*

2. Poème épique de sir Walter Scott (1771-1832) contant la défaite de Jacques IV d'Écosse contre l'armée d'Henry VIII à Flodden Field en 1513.

3. Prolifique scénariste qui créa tous les principaux personnages de comic-books de la compagnie Marvel dans les années soixante : *The X-Men, The Fantastic Four, The Amazing Spider-Man, Iron Man, The Mighty Thor, The Incredible Hulk...*

mon âge. J'avais toujours une bonne raison d'être... *fourré* chez lui. Ma mère ne me posait aucune question. Mais très vite on a cessé de lire des *comics*... Et puis les parents d'Andy ont déménagé dans l'Alberta, et mon père ne comprenait pas pourquoi, chaque fois qu'il me rapportait des *comic-books* en croyant me faire plaisir, je partais en claquant la porte.

Je fais une moue de compassion à l'intention du Don adolescent, mais je retourne saisir la perche qu'il m'a tendue en citant Walter Scott.

— Tu as le sentiment que le CRIE est un réseau de mensonges. Ou de faux-semblants ?

— J'y ai passé du temps, et j'ai senti que les relations entre les professeurs étaient loin d'être simples. Je n'ai jamais vu un tel sac de nœuds sentimental.

— Vraiment ?

— Vraiment ! Là-bas, tout le monde était en amour avec Kathleen. On aurait dit une secte californienne *peace and love* des années soixante-dix. Et cet amour, même s'il est platonique, déteint sur les gens qui travaillent au CRIE. Chaque année, au mois de mai, ils invitent tous les anciens doctorants au pique-nique de fin de session. Tiens ! Ce n'est pas après-demain ?

— Si, je crois avoir entendu Jennie et Adélaïde parler de ça...

— Eh bien, tu verras. Les deux tiers des chercheurs et doctorants québécois qui sont passés au CRIE se sont mis en couple ensemble.

— Ah bon ?

— *Yep*. C'est inévitable : le recrutement est fait sur des critères subjectifs, ils choisissent des projets de thèse ou de recherche qui sont proches de leurs préoccupations et quand on met ensemble des chercheurs de haut niveau avec des jeunes doctorantes brillantes...

— *Sex and Status*..

— Exactement. La plupart des jeunes femmes qui font une thèse ne trouvent pas d'homme de leur niveau dans leur génération. Alors elles se rapprochent des hommes plus âgés qu'elles côtoient dans les bureaux...

— *Mmhhh*, fais-je, l'air absent, en essayant d'oublier les yeux dévorants de Malvina il y a deux nuits, lorsqu'elle déboutonnait ma chemise, et ceux d'Adélaïde ce matin...

— Quoi ? demande Don malicieusement. Une des *femelles* du CRIE t'a déjà poussé sur son lit ?

— Euh... (Je me sens rougir deux fois plus que d'habitude, ça doit être la bière.)... Non, pas encore. Ça ne fait pas très longtemps que je suis arrivé... Et puis, je ne suis pas sûr d'être très réceptif en ce moment, dis-je en me malaxant l'épaule pour la énième fois de la soirée.

Il relève mon geste.

— Tu as mal ?

— Oui. Je me suis fait enlever un nævus avant de partir de chez moi et ma plaie s'est infectée... Alors je passe mon temps à refaire les pansements et à vérifier que ça ne saigne pas... Donc, tu vois, je suis pas en état...

Il n'a pas l'air de croire à mon explication.

— *Right ! Okay, you're a gentleman, you don't kiss and tell*[1]. Mais moi, je n'ai pas ces pudeurs de jeune fille. Je vais t'en raconter une bonne sur quelqu'un de la gang...

Je lève la main.

— Pas question !

— Pourquoi ? fait-il avec des yeux arrondis.

Je suis le point de répondre : *Parce que j'en sais déjà beaucoup trop à mon goût, et je ne suis pas sûr de vouloir en savoir plus,* mais je me reprends *in extremis*.

— Parce que c'est bien plus drôle de le découvrir seul.

— Okay ! Tu as raison. On pourra en reparler quand tu voudras.

1. C'est ça. Bon, tu es un *gentleman,* tu ne révèles pas le nom de tes conquêtes.

— J'y compte bien... Plus sérieusement, s'il y a de la tension au CRIE en ce moment, ce n'est pas une tension sexuelle... Je pense que tout le monde est inquiet de l'état de santé d'Owen. S'il disparaît, l'existence du CRIE et du foyer de la rue Ferron n'est pas menacée, mais leur direction risque d'être chamboulée, puisque Joshua est censé succéder au poste de son père à la fondation.

— Et... c'est un problème, ça ?

Je lui explique que Joshua a disparu depuis l'assassinat de Kathleen. Il n'était pas au courant.

— Et, dans la mesure où personne ne sait ce que Joshua fera de son statut au CRIE, c'est source d'angoisse, je pense. J'en saurai peut-être plus une fois que je lui aurai parlé.

— Tu dois le voir ?

— Au foyer de la rue Ferron, demain soir... J'espère qu'il voudra m'écouter... Mais, tu ne m'as pas dit ce que tu étudiais au CRIE quand tu y es passé.

Il soupire.

— *Oh my god !* C'est si loin... « Survie, statut, homosexualité et éthique dans *Dorian Gray* et *La Recherche.* » Une lecture darwinienne d'Oscar Wilde et Marcel Proust...

— Ambitieux !

— *Yep.* Très... acrobatique. (Il rit.) Et absolument impossible à réaliser. Si je n'avais pas rencontré Anton, j'y serais encore. Enfin, j'avais une directrice d'études délicieuse...

— *Mmhhh.* Jennie ?

— *Yep.* On s'entendait très, très bien, tous les deux et je passais beaucoup de temps avec elle et Kathleen. Elles s'étaient adoptées mutuellement. C'était avant que Jennie ait sa fille... Et puis, brusquement, du jour au lendemain, Kathleen a décidé de partir retrouver son peuple sur la baie James, et l'atmosphère du CRIE s'est assombrie. Jennie ne venait plus que pour préparer ses cours, je l'ai beaucoup moins vue. Moi, j'ai rencontré Anton quinze jours avant de renouveler ma demande de bourse. J'ai décidé de laisser tomber le doctorat, mais j'ai voulu prévenir Jennie et lui expliquer pourquoi. Elle m'a reçu cinq minutes, assez froidement, sans bouger de sa chaise, j'ai vu qu'elle était enceinte et j'ai compris qu'elle avait d'autres soucis que mon départ…

— *Mmhhh…* (J'inspire une grande bouffée d'air et, du bout des lèvres, je dis :) C'est très mal de ma part, mais j'ai très, très envie de te poser une question…

— Oui. *Qui est le père ?* C'est ça ?

— Oui…

— Oui, c'est mal de me le demander, mais ça m'aurait déçu que tu ne le fasses pas. Cela dit, vraiment, je n'en sais rien ! Pendant les mois où on s'est beaucoup vus, elle et moi, on était très copain-copine, on s'est tout raconté sur nos flirts, passagers ou prolongés, mais elle ne m'a jamais dit qu'elle voyait quelqu'un sérieusement. Et je ne l'ai jamais entendue dire qu'elle voulait des enfants. Plutôt le contraire. Alors, venant d'une *hardcore feminist*, cette grossesse était surprenante… En tout cas, le père n'est pas un de ses trois collègues du CRIE.

— Qu'est-ce qui te fait dire ça ?

— Eh bien, Marlon est aussi gay que moi, Leonard est chaste comme un stylite et Hugh a eu une vasectomie dans les années soixante-dix.

J'éclate de rire.

— Je te jure ! proteste Don.

— Euh… Pour Marlon, je veux bien te croire, mais Leonard et Hugh ? C'est sur leur CV ?

— Pour Hugh, je te passerai l'article qu'il a écrit sur le sens philosophique, politique et éthique de la vasectomie. Le texte contient en annexe le compte rendu détaillé de son intervention. Pour ce qui est de Leonard… c'est plus subjectif, mais je crois qu'il n'a aimé qu'une seule femme. Il ne s'en est pas remis quand elle a choisi quelqu'un d'autre.

— Kathleen…

— *One and the same.* Tu le savais ?

— Il me l'a confié ; spontanément, d'ailleurs. Mais je n'avais pas compris qu'il avait fait une croix sur sa vie sexuelle.

— Je ne crois pas que ce soit le cas. J'imagine seulement qu'il n'a pas envie de s'attacher et que s'il baise de temps à autre, c'est pour son hygiène mentale. Mais je ne vois pas Jennie coucher avec lui. Il est comme un frère aîné pour elle.

— Et j'imagine, dis-je avec un désagréable pincement à l'estomac, que ce ne sont pas les brillants chercheurs qui manquaient. Elle n'avait que l'embarras du choix.

— *Wait a minute.* Je n'ai pas voulu dire que c'est une fille facile ou quelque chose de ce genre, *okay* ? Si elle s'est retrouvée enceinte et a décidé d'élever l'enfant seule, elle devait avoir une bonne raison. Une très bonne raison !

— Je comprends… Elle n'est pas allée se faire inséminer dans une banque de sperme, tout de même ?

— *Naaa…* Si elle avait eu cette idée *bizarre*, elle m'en aurait parlé. Avant ou après l'avoir fait. Et puis, une insémination, ça ne se fait pas en quinze jours. Il y a sept ans, il y avait déjà des listes d'attente importantes. Tout le temps qu'elle a été enceinte, elle n'a pas dit un mot de cette grossesse. Comme si c'était un secret honteux. Un secret qu'elle ne pouvait pas cacher complètement.

20

If...

Il est très tôt ou très tard, pourtant je me sens bien. Je pourrais prendre le bus mais, après avoir quitté Don, je décide de rentrer à pied depuis Mont-Royal.

Il fait chaud. Très chaud. Orageux. Et à peine ai-je parcouru cent mètres qu'un éclair jaillit et que des trombes d'eau s'abattent sur la ville. Trempé, je m'abrite dans l'entrée d'un restaurant chinois. Je reste là un bon moment avant de me rendre compte qu'il y a un homme étendu par terre. Inquiet, je me penche et je l'entends ronfler. Il me semble reconnaître l'un des hommes qui faisaient la queue devant le camion de Malvina, il y a deux soirs. Avec des sacs-poubelles en plastique noir, il s'est confectionné des morceaux d'imperméable qu'il a enfilés sur ses vêtements pour se protéger de la pluie.

Je ne le touche pas. J'ai compris, en parlant avec plusieurs d'entre eux, qu'un itinérant qui dort ne demande rien, et surtout pas qu'on le réveille.

Accroupi près de lui, j'attends. J'écoute. Je m'assure que sa respiration est régulière. Je demande bêtement : « Ça va ? »

Pour toute réponse, il se retourne contre la vitrine et se met à ronfler de plus belle.

Je me redresse mais je reste là. L'orage s'éternise. Quelques rares voitures font jaillir l'eau des caniveaux sur leur passage. L'une d'elles porte sur son toit un rectangle lumineux. C'est un taxi. Il ralentit à mon approche et je vois derrière la vitre une main me faire signe. Je jette un dernier coup d'œil à l'homme allongé. Il dort paisiblement. Je m'élance vers le véhicule.

*

— Ici, c'est comme ça, me dit le chauffeur. Il fait très chaud pendant plusieurs jours et puis, d'un seul coup, ça se met à tomber pendant des heures.

Quand j'arrive devant ma porte, je n'ai aucun mal à l'ouvrir, contrairement à la nuit précédente.

Je verrouille derrière moi. Je pose mes clés près du lit, j'ôte mes chaussures, mes chaussettes, mon pantalon et le reste de mes vêtements mouillés. Don m'a beaucoup parlé. Ça m'a éclairé sur certaines choses, ça en a obscurci d'autres.

Je m'allonge et je ferme les yeux pour réfléchir.

Quand je les ouvre, il fait grand jour. J'ai un peu de mal à me rappeler où je suis, quand je suis. Qui je suis ? Non, ça, je sais. Charly. Montréal, samedi.

Je suis nu sur le lit, mes vêtements trempés empilés sur le sol.

Je prends une douche, je frictionne précautionneusement la plaie de mon omoplate. Elle me fait toujours un mal de chien mais elle ne saigne plus. À présent, elle suinte. Ravissant. Je me sèche et je me rafistole comme je peux.

Je sors de la salle de bains pour me choisir des vêtements propres… et je me rappelle que je n'ai pas de nouvelles de ma valise.

*

Pieds nus, une serviette blanche autour de la taille comme James Bond dans *Thunderball*, je passe de la chambre à la cuisine. J'ouvre le frigo. On l'a garni depuis mon arrivée. Owen compte vraiment beaucoup sur moi. Comment peut-il me faire une confiance pareille ? Il ne me connaît pas.

Mais il me connaît, moi, murmure la voix de Raoul.

Oui. Mais vous, Raoul, savez-vous vraiment qui je suis ? Savez-vous vraiment ce que je vaux, seul dans une ville inconnue ? Et surtout : pensez-vous que je suis capable d'aider Owen comme vous l'avez aidé, vous, il y a...

Combien de temps ? Sept ans ?

Ce premier départ de Kathleen me... turlupine. Du jour au lendemain, elle décide de retourner dans sa région d'origine, en laissant derrière elle l'homme de sa vie et leur fils. Pour quelle raison ?

La culpabilité de ne pas s'occuper des siens me semble une explication insuffisante. Elle avait les moyens d'aller faire des séjours réguliers à la baie James et de venir en aide financièrement à son peuple sans pour autant quitter sa famille.

Et c'est surtout la répétition des situations qui me tracasse. Elle finit par revenir à Montréal et quatre ans plus tard, rebelote ! Elle annonce à Owen qu'elle s'en va une nouvelle fois et ce, juste après avoir créé un foyer d'accueil au bout de la rue ?

Si j'ai bien saisi la personnalité de Kathleen Cheechoo, elle n'était pas de celles qui laissent en plan ce qu'elles ont entrepris. Si Owen, le CRIE et le foyer d'accueil n'avaient pas, à eux tous, été capables de la retenir à Montréal, qu'est-ce qui avait pu la pousser à partir ?

On sonne. Toujours ceint de mon pagne en tissu éponge, je m'avance. Une silhouette massive se découpe dans la porte vitrée.

J'ouvre. Un malabar vêtu d'un uniforme bleu sombre me demande si je suis Tcharly Lumber et, quand je lui réponds affirmativement en espérant que j'ai bien compris, il me tend un porte-documents sur lequel est accroché un bordereau à signer.

Je signe. Il me donne le double, me tend ma valise et disparaît. Je scrute le bordereau dans ses moindres détails. J'y trouve le numéro de téléphone d'Owen La Chance suivi de la mention : « Morning delivery, 10.00 a.m.[1] »

Une fois encore, mon hôte me soigne.

*

Tandis que je vide ma valise et me choisis des vêtements, l'un des rêves de la nuit me revient. C'est le décor de *If...* de Lindsay Anderson. Une *boarding school* en Angleterre, avec une meute de jeunes garçons qui galopent dans tous les sens aux ordres de leurs aînés. Je suis dans la peau de Mick Travis, le personnage interprété par Malcolm McDowell alors tout jeune. Je dépose ma valise dans la pièce qui sert de club à mes meilleurs amis et à moi. J'en sors un disque 33 tours que je pose sur le plateau de lecture d'un phonographe. Évidemment, le 33 tours est trop grand, alors il m'est impossible de l'écouter. Le *Headmaster* – celui-là même qui fouettera Mick, un peu plus tard dans le film – entre, pose sa baguette sur le disque et me dit d'un ton hautain :

« Il n'y a qu'une solution à ce problème. »

Il commence par désarticuler le bras du phonographe.

1. Remise le matin à 10 heures.

Ensuite, il saisit le disque et tente de le casser en deux. Avant qu'il ait pu le faire, je lui ai pris le 33 tours des mains et je lui ai collé un pain dans la figure.

« Il y en a une autre. »

Je soulève le corps du phonographe. Dessous, il y a une platine de lecture. Elle est reliée à un ordinateur qui numérise la musique et l'enregistre instantanément sur une clé USB. C'est une clé en forme de clé. Je la retire de l'ordinateur et je l'attache à ma ceinture. Le 33 tours se pulvérise en un petit nuage.

Le *Headmaster* tourne autour de moi et se demande où j'ai mis la musique.

Je dis : « Quand on étouffe un cri, on tombe dans le panneau. »

21

Kiss me, Stupid !

Mont-Royal/Garnier, samedi matin

Le samedi, Don a de l'aide à la boutique ; avant que je le quitte hier, il m'a proposé de passer dîner avec lui vers midi trente. J'ai accepté tout de suite. Le sentiment d'amitié que j'éprouve à son endroit est, de toute évidence, mutuel – nous en avons parlé hier, à demi-mot. Lui comme moi avons habituellement du mal à fraterniser. Rencontrer quelqu'un avec qui on peut être soi-même aisément, sans effort, hors de toute stratégie de séduction, est une aubaine qui ne se refuse pas.

Quand je le rejoins dans un petit restaurant au coin de Mont-Royal et de Garnier, je l'aperçois installé à une table ronde dans une alcôve. Une silhouette est assise près de lui, le dos à la porte.

— Charly, je te présente...

— Ah mais, on se connaît, dit-elle en se tournant vers moi.

J'hésite. Oui, je la connais, mais d'où ?

Elle rit.

— Eh oui, hors contexte, la reconnaissance des visages, c'est difficile !

— Euh...

— Réjane. On s'est rencontrés l'autre soir. Je dansais avec Adélaïde.

Elle se lève et m'embrasse au coin des lèvres.

Tétanisé, je reste debout devant elle. Elle est vêtue de jeans et d'un blouson de cuir, elle n'a pas de maquillage et son visage est plus masculin que dans mon souvenir.

Mais je me souviens de son corps presque nu et de la sensualité qui s'en dégageait l'autre soir, et des sons insensés que produisaient sur elle les mains des autres danseurs quand ils la touchaient.

Elle s'assied et me sourit.

J'en ai un peu marre de voir des femmes me sourire et de m'interdire d'en tirer des conclusions.

Me voyant hésiter, Don s'écarte à l'autre bout de la banquette en demi-lune pour que Réjane me fasse une place près d'elle.

— Tu ne m'en veux pas d'avoir proposé à Réjane de dîner avec nous ?

— Pas... Pas du tout. Je suis ravi.

— Et en plus, vous sortez ensemble ce soir.

— Ah oui ?

— Je vais écouter Malvina au foyer, dit Réjane. Comme je disais ça à Don, il m'a dit : « Ah, le type avec qui j'ai passé la soirée hier y va aussi ! » J'ai cru que, quand il disait *a guy*, ça voulait dire *a gay guy*.

— Et, vous êtes... déçue de découvrir qu'il ne s'agit que de moi.

— Terriblement !

— Je suis peut-être gay...

— Don vous aurait fait la bise.

— Je suis désolé de vous décevoir.

— Ce n'est peut-être pas irréparable...

— Bon, je vais vous laisser, dit Don.

— Non, tu peux pas, c'est toi qui invites.

*

Pendant le repas, Réjane écoute Don disserter sur les aspects proprement darwiniens de la consommation de biens (« Quand tu es un homme, ta montre, ta voiture, tes costumes à cinq cents dollars, tout ça c'est de la *conspicuous consumption* destinée essentiellement à montrer tes *fitness traits* aux partenaires sexuelles potentielles que tu as l'intention d'*enséminer...* »), elle m'écoute contre-argumenter (« Bon, mais alors les geeks qui passent leur temps devant leurs consoles et qui customisent leur ordinateur, à quel genre de partenaires sexuelles font-ils signe ? »), elle commente avec à-propos (« Et les filles qui s'achètent des chaussures à cinq cents dollars, tu crois pas que c'est de la *ridiculous consumption*, vu que les seuls qui vont remarquer qu'elles ont des Dolce et Gabbana aux pieds sont leurs copains *fifs ?* ») et s'entend répondre de manière docte et définitive (« *You're missing the point, Dear !* T'achètes pas les *D&G* pour séduire les hommes, mais pour écraser la concurrence ! »).

Mais lorsque nous sortons du restaurant, j'ai le net sentiment d'en savoir beaucoup moins sur Réjane qu'elle sur moi. Elle m'a demandé ce qui m'a amené au Québec, ce que je faisais à Tourmens, si j'ai laissé une *blonde* là-bas (« Non, a dit Don, il est venu en retrouver une ici, qu'avait l'air d'une belle *pitoune*, comme ça, mais elle l'a *switché* pour un autre, c'te *bitch* ! ») et je me suis senti obligé de répondre qu'après tout Dominique ne m'avait rien promis.

Ce à quoi Réjane a rétorqué aussitôt que, si un beau gars comme moi traversait l'Atlantique, elle serait bien niaiseuse de ne pas en profiter. Bref, on a marivaudé tant et plus, au grand bonheur de Don, mais elle n'a rien dit de ce qu'elle fait, ni qui elle est. En dehors du fait qu'elle danse avec Adélaïde, je ne sais rien d'elle.

Je ne crois pas avoir jamais rencontré une femme

qui ne livre rien à un homme qui semble lui plaire. Et je suis partagé entre la curiosité et un curieux malaise. En même temps, je lui suis reconnaissant de ne pas avoir fait la moindre allusion à ma désastreuse prestation de l'autre soir. Mon état de stupéfaction avancée ne lui a certainement pas échappé, mais elle ne semble pas s'en être formalisée. Ni m'en tenir rigueur.

★

À 13 h 30, Don s'en retourne au *Disco Volante*. Réjane, elle, n'a pas l'air de vouloir s'en aller.

— Tu ne travailles pas ? dis-je.

— C'est samedi. Je n'ai pas de boutique à surveiller, moi…

Elle n'a vraiment aucune intention de me dire ce qu'elle fait…

Je regarde ma montre.

— La lecture est à 19 heures, dit-elle. Que fais-tu de ton après-midi ?

— Euh… rien. Je pensais aller me balader, mais je ne sais pas très bien ce qu'il y a à voir.

— J'avais envie de voir l'exposition Miles Davis au musée des Beaux-Arts. Tu veux ?

— *We want Miles… !*

★

Je propose de prendre le métro, mais elle préfère descendre tranquillement Saint-Denis jusqu'à la rue Sherbrooke et prendre le bus. Il fait grand soleil, les Montréalais sont déjà en vêtements d'été – bermudas et débardeurs pour les hommes, robes courtes et légères ou shorts et débardeurs pour les femmes.

Réjane entre dans la minuscule boutique d'un glacier et commande un sorbet citron-passion qu'elle me tend d'un geste à la fois timide et décidé. Je me laisse faire. Le sorbet est délicieux. Elle se commande le même.

Pendant que nous marchons sans un mot en dégustant nos glaces, je la regarde. Elle mesure une tête de moins que moi, elle a les cheveux courts, un visage androgyne. Sa discrétion me déstabilise un peu – je suis peut-être dépendant des confidences, au fond –, mais elle me plaît beaucoup. Je décide de ne plus tenter de lui tirer les vers du nez – chaque fois que j'ai posé une question un peu directe, elle s'est défilée avec une pirouette et, finalement, c'est reposant de ne rien savoir de la personne avec qui on se balade. On n'a pas à faire semblant de s'intéresser à sa vie. Si elle n'en parle pas, c'est peut-être parce qu'elle n'a pas envie d'en parler. Et si elle n'a pas envie d'en parler, c'est peut-être parce qu'elle fait un métier dont on ne se vante pas. *Mmhhh…*

Je la regarde un peu plus attentivement… et je décide que, non, elle n'est probablement ni *call girl*, ni *pole dancer*. J'ai parlé de médecine tout à l'heure en évoquant mon travail à Tourmens, mais ça n'a pas eu l'air de faire tilt. Elle n'a même pas cillé, comme le feraient pourtant la plupart des femmes, en apprenant que je suis médecin légiste et que la veille de mon départ de Tourmens, j'avais pratiqué ma centième autopsie.

Nous restons silencieux un long moment. Je n'ose pas poser de questions. Elle est peut-être au bout des siennes. Mais, en arrivant à l'arrêt du 24, elle prend une inspiration et dit :

— C'est qui, ta blonde, là ?

— Ma blonde ?

— Celle qui n'a pas voulu te voir.

— Ah, Dominique ? Je la connais depuis mes études. Elle est psychiatre. On était très proches quand on travaillait à l'hôpital, et puis on s'est perdus de vue. Et je l'ai revue il y a quelques années, elle était mêlée à une sombre histoire criminelle dans la clinique où elle travaillait[1].

— Elle était coupable ?

La question me surprend.

— Non... C'est même grâce à elle qu'on a mis fin aux activités des crapules qui y trafiquaient.

— Et elle a quitté la France pour venir au Québec ?

— Oui. C'est moi qui lui ai conseillé de changer d'air.

— Et tu pensais... qu'elle t'ouvrirait les bras si tu venais la rejoindre.

Je soupire. Elle ne me regarde pas, elle scrute le ciel, les nuages, la rue, mais ne cherche pas mon regard.

— Oui.

— Mais tu n'es pas venu pour rester.

— Non. Je suis juste venu monter ce projet de recherche.

— Et ensuite, tu repars en France ?

— Sans doute... J'ai un permis de travail pour un an. Après, il faut que je rentre.

Elle prend une inspiration.

— Il y a de plus en plus de Français qui restent.

— Oui, c'est ce que tout le monde m'a dit... Mais je ne sais pas bien ce que je pourrais faire ici.

— Tu as un métier ! Et même deux !

— Oui. Mais, comment dire ? J'ai le sentiment qu'ils n'avaient de sens que là-bas, à Tourmens. Qu'en partant, j'ai fait une croix sur mes métiers et sur tous les gens que j'y côtoyais.

— Qu'est-ce qui te donne ce sentiment ?

Je réfléchis un long moment avant de répondre :

— Je n'ai pas envie de retourner à Tourmens. Je ne m'y sens plus chez moi.

1. Cette sombre histoire est racontée dans *Camisoles,* Fleuve Noir, 2006.

22

Stranger than Fiction

Ontario/Ferron, samedi soir

Le foyer Kathleen Cheechoo est une ancienne usine réhabilitée. Nous sommes debout, face à l'entrée, de l'autre côté de la rue Ferron. Il fait bon. Trois hommes discutent sur les marches. Sur la porte, un panneau annonce la lecture.

Réjane tourne la tête et je suis son regard.

Une voiture de police est garée à une dizaine de mètres. Debout devant leur véhicule, deux policiers – un homme, une femme – en gilet pare-balles et aux ceintures bardées d'instruments divers et variés, discutent sur le trottoir avec deux hommes à l'aspect fripé.

— Il y a eu des agressions d'itinérants ces jours-ci, dit-elle.

— J'ai lu ça... On a trouvé les responsables ?

— Je ne sais pas, je n'ai pas... écouté les nouvelles, aujourd'hui. J'avais autre chose à faire.

Elle lève les yeux vers moi, elle me sourit. Elle est belle.

Je soupire et je change de sujet.

— Ces grandes baies vitrées... ça me fait penser à des lofts d'artistes.

— Il y a des artistes autochtones en résidence, justement, m'explique Réjane. Aux niveaux supérieurs de l'immeuble.

— Tu viens souvent au foyer ?

Elle hoche la tête, l'air un peu déçue, je crois.

— Oh, oui… Je suis venue y danser plusieurs fois avec Adélaïde et la troupe. Et une fois seule. C'était… intense. Kathleen voulait que le foyer soit ouvert au monde, que ça ne soit pas seulement un lieu d'accueil pour les itinérants. Les statuts sont très précis sur ce point. Et comme le CRIE est étroitement associé à la gestion du foyer…

— Vraiment ?

— Oui, un des codirecteurs du CRIE est membre de droit du conseil d'administration. Et l'autre siège au comité d'éthique.

— Ils alternent, alors ?

— Oui. En ce moment, c'est Hugh qui siège au conseil du foyer, et Leonard au comité. Hugh doit d'ailleurs dire un mot ce soir, d'après Adélaïde.

— *Mmhhh…* J'ai le sentiment que Kathleen a investi beaucoup dans ce foyer. Je me trompe ?

— Non, c'était un projet très important pour elle. C'est pour ça que…

— Que ?

— Que je ne comprends pas pourquoi elle voulait repartir à la baie James.

— Ah, toi aussi, ça te paraît bizarre !

— Ça a semblé bizarre à tout le monde. Jusqu'à ce qu'elle meure. Après ça, plus personne n'en a parlé. Ou osé en parler… Viens !

Elle me prend la main et m'entraîne de l'autre côté de la rue. Quand nous atteignons l'autre trottoir, elle se rend compte qu'elle tient toujours ma main dans la sienne et rougit, embarrassée.

— Je suis pressée d'aller écouter Malvina, dit-elle comme pour expliquer son geste.

— Tu la connais bien ?

— Pas vraiment. Elle travaille un peu avec tout le monde, y compris avec Adélaïde et Jennie, mais je la trouve agréable. Et j'avais envie de retourner au foyer. Je n'y suis pas allée depuis trois mois.

— Trop de travail ?

Elle se retourne, me fait un sourire désarmant, pose une main sur mon cou, attire mon visage vers le sien et, cette fois, me fait un baiser très doux sur les lèvres.

Mmhhh.

— Si tu me réponds comme ça, je vais te poser des questions plus souvent...

— Si tu arrêtes de me poser des questions, je pourrai te... répondre plus spontanément, rétorque-t-elle avec le regard de celle qui veut avoir le dernier mot.

Okay...

Le hall du foyer est un vaste espace sur les murs duquel sont exposées de grandes photos noir et blanc. Ce sont des portraits de femmes, d'hommes, d'enfants, de vieillards de la nation crie. Tous portent le nom des personnes représentées. Au milieu de la salle, l'un des clichés montre une femme d'une trentaine d'années, aux cheveux très longs, portant un petit garçon dans ses bras. Je m'approche. Kathleen et Joshua.

Des hommes et des femmes sont assis sur des bancs autour de la pièce ou se tiennent près d'une table portant des conteneurs de café, des petits gâteaux, du jus de fruits, des gobelets en plastique.

Au fond, une double porte ouvre sur un court couloir, et je distingue à l'autre extrémité quelques fauteuils et un bout d'estrade.

Je promène mon regard autour du hall, je cherche à identifier les hommes accueillis au foyer. Mais je n'en vois pas. Toutes les personnes présentes semblent être venues là pour la lecture. Un petit groupe nous fait signe : Hugh, Jennie, Marlon et Adélaïde entourent Malvina, très intimidée. Réjane s'avance vers eux. Je résiste au désir de lui prendre la main et je reste en retrait.

— Vous vous êtes promenés tout l'après-midi en amoureux ?

Je me retourne.

Don se tient derrière moi. Je devine qu'il nous a vus dans la rue, quand elle m'a embrassé.

J'ai l'impression d'être une midinette dans un roman-photo. Et ça me fait rire.

— *Did you set me up for a blind date with her, you cad*[1] *?*

— Je te jure que non ! répond-il, surpris. Elle est arrivée à la boutique quand je sortais, je ne l'avais pas vue depuis longtemps, je lui ai proposé de venir, et comme tu es nouveau ici, je me suis dit que ça te ferait une... connaissance de plus.

Il a dit la première partie de sa réponse avec l'inquiétude de l'innocent accusé à tort, la deuxième avec la malice du gamin pris en faute. Et il s'avance vers le groupe.

— C'est ça... fais-je en le suivant.

— Don ! s'écrient Jennie et Adélaïde.

Elles lui sautent au cou toutes les deux.

— *Hey, Don ! Long time no see*[2] *!* s'exclame Marlon.

Un homme d'une trentaine d'années sort du couloir et nous invite à entrer.

Il est grand, carré. De longs cheveux bruns tombent sur ses épaules. Il porte des lunettes à monture épaisse, d'une autre époque. Son visage est lisse. Ses vêtements sont propres mais élimés. Ses mains sont ornées de petits morceaux de sparadrap. Un pensionnaire du foyer, j'imagine.

Quand Hugh passe devant lui, il lui fait un bref signe de tête mais son visage reste de marbre. Il ne salue personne d'autre.

1. Tu m'as comploté un rendez-vous à l'aveugle, mon salaud ?
2. Ça fait longtemps !

Il y a du monde dans la salle. Beaucoup plus que je ne l'imaginais. Devant la scène, un panneau clame : « Bon anniversaire ». Je comprends ! Le foyer a ouvert il y a trois ans, en mai. La lecture de ce soir fait probablement partie de la célébration.

Le groupe me pousse entre les rangs. Je me retrouve assis entre Réjane et Adélaïde. Jennie et Don, en grande conversation, ferment la marche. Pendant que les derniers arrivants s'installent, un homme d'une soixantaine d'années, aux cheveux gris coupés court, monte sur la petite estrade une feuille à la main et salue l'assistance. C'est le directeur du foyer. Il dresse un bilan rapide de l'année écoulée, donne des chiffres, indique les objectifs et les vœux pour l'année à venir. En conclusion, il appelle les membres de l'assistance à apporter leur soutien financier aux foyers qui ne bénéficient pas des mêmes moyens que celui-ci, mais déclare que l'équipe accueillera toujours volontiers les propositions de bénévolat. Il remercie enfin la Fondation Kathleen Cheechoo et son conseil d'administration, avant de passer la parole à Hugh Osler.

Hugh se lève et monte à son tour sur l'estrade. Il sort de sa poche quelques fiches, les regarde pensivement, les remet dans sa poche, frotte pensivement son poing gauche fermé et commence à parler.

« Comme chaque année, l'anniversaire de ce foyer est à la fois un moment de joie et de tristesse. Celle qui l'a créé, qui en était la mère spirituelle, n'est plus parmi nous. Elle n'a pas pu apporter aux hommes de ce foyer son énergie, sa douceur, son intelligence. Elle n'a pas pu les écouter et les soutenir. Elle n'a pas pu insuffler à ceux qui travaillent ici son courage et sa détermination. Elle n'a pas pu contribuer au travail qui a été fait ici. Et cependant, le travail s'est fait. Ce foyer réservé aux itinérants d'origine autochtone est un modèle pour toute la communauté et ceux qui viennent en aide aux personnes itinérantes. Au cours de ces trois années, nombreuses sont les personnes accueillies qui ont trouvé un logement ou *une job*, obtenu un crédit pour reprendre des études, trouvé un médecin de famille et amélioré leur santé. Les résultats sont spectaculaires. Tout cela, nous le devons à la Fondation Kathleen Cheechoo bien sûr, qui finance notre foyer et lui permet de se développer alors que, cette année, les subventions fédérales ont été réduites et mettent en péril la plupart des foyers de la province ; mais nous le devons aussi aux professionnels qui travaillent ici, ainsi qu'à quelques partenaires qui se sont joints à nous – en particulier la Société canadienne d'éducation à la santé, en la personne de Mme Mathilde Laroche, qui nous fait l'amitié d'être ici ce soir... »

Il fait un sourire et un signe de tête à une femme dont je ne distingue qu'une masse de cheveux blonds.

Je soulève un sourcil et je me penche vers Adélaïde.

— Tu... sais-tu qui c'est ?

Elle se tourne vers moi avec un grand sourire.

— Tu t'mets-tu à parler comme nous ?

— Euh... Non, dis-je sans comprendre. Ah ! Très drôle... Non, sérieusement, dis-je tout bas, sais-tu qui est cette femme ? Et son organisme ?

— Non. Pourquoi ?

— Pour rien. Le nom me rappelle quelque chose.

Je creuse ma mémoire sans parvenir à exhumer le souvenir.

Sur l'estrade, Hugh vient de pencher la tête et de faire une pause, comme s'il était perdu dans ses pensées. Juste avant, je l'ai entendu faire allusion aux agressions dont ont été victimes plusieurs pensionnaires du foyer.

« Cette année, comme l'an dernier, comme l'année précédente, Kathleen nous manque. Elle nous manquera toujours. Mais cette année, comme chaque année, nous continuons notre action avec une volonté plus grande, en souvenir de la femme qu'elle était.

C'est en son souvenir que, chaque année, nous lisons des passages d'un de ses livres préférés. Ce soir, Malvina Hébert, titulaire d'une de nos bourses d'excellence, a choisi de nous lire des passages de *Siddharta*. *Please, welcome* Malvina Hébert. »

Tandis que l'assistance se met à applaudir, Hugh tend la main à Malvina qui grimpe sur l'estrade puis, sans tarder, il revient s'asseoir dans la salle.

Je le vois croiser ses jambes et masser sa main gauche, qu'il ouvre, comme si elle lui faisait mal. Il a gardé le poing serré tout le temps qu'il a parlé.

J'avais hâte d'entendre la lecture du roman de Hesse, mais les beaux souvenirs associés il y a quinze ans à la voix et au corps de Dominique dans sa minuscule chambre d'étudiante ne sont pas au rendez-vous. Pas plus qu'elle. Je tente de lutter contre l'effet soporifique de la voix monocorde, mais mes yeux se ferment et, à deux ou trois reprises, mes voisines me donnent des coups de coude.

Dans ma torpeur, je vois une femme blonde sortir d'une sacoche de cuir un stylo, un bloc-notes et un livre richement illustré. Elle me le tend et dit : « Je vous les offre. »

— *Damn !*

Adélaïde et Réjane sursautent. J'ai poussé mon exclamation tout haut.

— Pardon !

Autour de moi, deux ou trois spectateurs se retournent mais Malvina poursuit sa lecture. Et je ne dors plus jusqu'à la fin. Car je viens de me souvenir.

23

Les girls

Lorsque la lecture se termine, je cherche Joshua La Chance des yeux. Je crois l'apercevoir à l'autre bout de la salle. Ah, zut ! Il discute avec Leonard. *Mais d'où sort-il, celui-là ?*

Owen m'a demandé de prendre contact avec son fils, mais il préfère que je reste discret. Je ne peux pas demander à Jennie ou Adélaïde de me présenter le jeune homme. Et je me demande comment il se fait, alors que Joshua est ici, qu'il n'ait pas cherché à voir Julie et leur petite fille. Décidément, le comportement de toute la famille est plus qu'étrange. Tandis que je me dirige vers la sortie en cherchant un prétexte pour lui parler, je vois Leonard me faire signe. Je m'excuse auprès de mes cavalières et je m'approche des deux hommes.

— Charly, je vous présente Joshua... Cheechoo. Joshua, voici le docteur Charly Lhombre.

Joshua est grand, plus grand que moi. Il porte un gilet noir dont la fermeture à glissière est remontée jusqu'au menton. Sa main est puissante et chaleureuse, comme celle d'Owen. Et s'il a les traits de sa mère, il a le regard franc de son père.

— Enchanté, dis-je sans trop savoir comment continuer.

Leonard s'efface et se dirige vers les membres du CRIE assemblés autour de Malvina.

— Je ne vais pas vous retenir longtemps, docteur. Je voulais juste prendre un rendez-vous.

Sa phrase me fait sourire.

— Un rendez-vous ?

L'espace d'une seconde, son regard semble flotter, puis il se ressaisit.

— Oui, j'ai un problème d'éthique médicale à vous soumettre.

— Ah. Je suis honoré. Mais qui vous a dit...

D'un mouvement du menton, il désigne le groupe.

— Avant votre arrivée, il n'y avait pas de médecin, au CRIE...

Je me retourne et je croise brièvement les yeux de Jennie. Est-ce l'éclairage de la salle ou son visage est-il plus pâle qu'il ne devrait l'être ?

Je regarde Joshua de nouveau. Je ne sais ce qu'il veut me demander, mais l'occasion est inespérée.

— Voulez-vous qu'on se voie lundi ?

— C'est assez urgent...

— Demain matin, alors ? Ou même tout de suite ?

— Pas ce soir : on vous attend. Demain matin, ça sera parfait. Au *Beauty's*, c'est un *deli* sur Mont-Royal et Saint-Urbain. 10 heures, c'est correct pour vous ?

— Mont-Royal et Saint-Urbain. J'y serai.

Il me serre la main une nouvelle fois et disparaît derrière l'estrade.

Lorsque je rejoins le groupe, Jennie, Hugh et Leonard me dévisagent avec un mélange de surprise et de perplexité. Mais aucun ne fait la moindre remarque.

*

— Je suis venue en voiture, me dit Adélaïde. Je te raccompagne ?

— Il n'a que Ferron à remonter, répond Réjane. C'est dans ma direction, je vais faire un bout de chemin avec lui.

Elles se toisent, et tournent la tête vers moi.

Damn ! Damn ! Damn !

— Désolé, les filles, intervient brusquement Don. Charly et moi, on a décidé d'aller faire un tour au *Kingdom.* Je vous l'enlève ! Bonne nuit !

Avant qu'elles aient pu protester, il me prend par le bras et m'entraîne avec lui. Il marche à grands pas comme s'il voulait mettre le plus de distance possible entre elles et nous.

— C'est quoi, le *Kingdom* ?

— Un club de strip-tease.

J'ouvre de grands yeux.

— Tu veux m'emmener dans un club de strip-tease ?

— Non, je veux éviter une catastrophe. Réjane et Adélaïde se connaissent depuis très, très longtemps. Elles ont grandi ensemble. Elles ont eu plusieurs fois les mêmes *chums.* Successivement ou ensemble. Pour s'amuser. Mais là, c'est du sérieux ! Elles étaient prêtes à s'écharper pour passer la nuit avec toi.

Je crois déceler de l'ironie dans sa voix et je réponds sur le ton de la plaisanterie :

— Comment ça ? Qui te dit que je n'avais pas envie...

— Oui, je sais que tu as envie, et à ta place, je frétillerais aussi. *But not tonight, you don't !*

— Ah, bon ? Et pourquoi « Pas ce soir » ? dis-je avec un sourire bête en me retournant pour les chercher du regard. Où est le problème ? Tu as peur qu'elles me violent ?

Devant le foyer, les silhouettes de Réjane et Adélaïde sont immobiles. Je ne sais pas si elles regardent dans notre direction.

— Non, *Dummy !* dit-il en serrant mon bras. J'ai peur qu'elles souffrent et qu'elles s'en veuillent !!! *So please wait a while before letting either of them get in your pants. Or both. Okay*[1] *?*

Brusquement, je réalise qu'il ne plaisante pas. Il connaît ces deux femmes beaucoup mieux que moi.

— Okay. Je comprends.

Il s'arrête, retire son bras, lève la main en signe de contrition.

— Je suis désolé. Je ne devrais pas me mêler de tes affaires, mais ce sont mes amies. Je les connais depuis longtemps.

Je pose ma main sur son épaule.

— Je comprends. Tu as bien fait, et je te remercie. C'est seulement que… j'ai passé toute la journée avec Réjane et…

— *Sure*. Et laisse-moi te dire : tu lui plais aussi. Ça fait bien longtemps qu'elle n'a pas regardé un homme comme je l'ai vue te regarder ce soir. Et je suis sûr qu'Adélaïde peut comprendre ça elle aussi. Mais il faut qu'elles puissent s'expliquer. *Give them some time to settle this. Okay ?*

— Okay…

Je me gratte la tête.

— Tu vois, je m'attendais à tout en venant ici, sauf à me retrouver dans des chassés-croisés amoureux…

— Tu es tombé dans une *gang* très particulière. Owen et Kathleen… ils ont rassemblé des hommes et des femmes à leur image. Toujours dans le partage, l'émotion, les idées généreuses, l'amour, l'idéal, toute une *tabarnac de crisse* d'utopie ! Mais ces beaux senti-

1. Alors, s'il te plaît, attends un peu avant d'en laisser une te sauter dessus. Ou les deux. D'accord ?

ments-là n'éteignent pas les autres : le désir de reconnaissance, la compétition, la jalousie ! Pour eux comme pour tout le monde, c'est *survival, sex, status.* Seulement, comme, pour être *politiquement correct*, tout le monde doit faire des sourires à tout le monde, de temps à autre, quand ils n'en peuvent plus, *everybody hates everybody's guts*[1] !

Il se remet en marche, moins vite cette fois-ci, et je lui emboîte le pas pour remonter la rue en pente douce.

Arrivé sur Sherbrooke, il s'arrête au bord de la chaussée et regarde pensivement le feu qui passe au vert, puis au rouge, puis au vert de nouveau, sans bouger.

— Et si tu veux me croire, dit-il finalement, je pense que c'est de ça que Kathleen est morte.

Il se tourne vers moi.

— Tu comprends ?

Je hoche la tête, je comprends ce qu'il suggère, tout est trop lisse pour être sain dans cet ensemble bien rodé, et tout le monde est à la fois trop avide de raconter ce qu'il a sur le cœur et trop enfermé dans les non-dits et les silences : la maladie d'Owen, l'absence-présence de Joshua à quelques centaines de mètres de chez ses parents et ma propre installation, comme si de rien n'était, sur les lieux mêmes de la mort de la mère spirituelle, la mère nourricière, dont personne n'a jamais rien de mal à dire.

Était-elle vraiment si parfaite ? Était-elle bien la sainte Jeanne conquérante de la nation crie ou, plus sombrement, la Rebecca de ce Manderley ?

Et soudain je vois passer en rafale les visages de Leonard, Jennie, Hugh, Adélaïde, Marlon, Lucie-Anne, Owen et la photo de la mère tenant dans ses bras son petit garçon et je me dis que oui, Don a rai-

1. Tout le monde déteste tout le monde !

son, même si ce n'est pas son mari qui l'a commis, le geste qui a pris la vie de Kathleen Cheechoo ne peut être celui d'un rôdeur, ou d'un voleur mais celui qu'on commet quand on est pris de peur et de fureur en étant rejeté, humilié, abandonné ; celle ou celui qui a commis ce crime n'a pas tué par profit ; les mains qui ont serré sa gorge ont tué par fureur, par dépit ou par jalousie – autant dire : par amour.

24

Secrets and Lies

Rue Ferron, dimanche, minuit vingt

Sans un mot, Don et moi traversons le parc Duplantie plongé dans l'obscurité. J'aperçois de la lumière et une silhouette immobile dans le bureau d'Owen La Chance.

— Don, qu'est-ce que tu penses d'Owen ?

— *I think he's a good man.* Je ne peux pas croire qu'il a tué sa femme.

— Pas même si elle avait décidé de partir ?

— *Oh, he was madly in love, all right, but his was not Othello's homicidal kind of love*[1].

— *Mmhhh...*

— Elle était déjà partie et revenue.

— Et si elle était partie pour ne jamais revenir ?

— Il serait allé la rejoindre. Il n'aurait pas fait deux fois la même erreur.

— La même erreur ?

— Laisser une autre le consoler...

1. Il l'aimait follement, d'accord, mais pas de l'amour homicide d'un Othello.

Il s'interrompt.

— *Sorry. I talk too much*[1].

— Lorsqu'on n'a personne à qui confier ce qui déborde...

— *Yep*. Mais dis-moi, c'était quoi ce hurlement pendant la lecture ?

— Quoi ? Ah ! Je venais de me souvenir de quelque chose. La femme à qui Hugh a rendu hommage, à la fin de son petit speech.

— Oui ?

— Il a dit qu'elle était l'envoyée d'une société d'éducation des malades.

— Je n'ai pas prêté attention, mais c'est peut-être ça, oui.

— C'est ça. Et c'est un gros problème.

— *Elaborate*.

— Ces « sociétés » ont pour but officiel d'assister les malades chroniques pour qu'ils prennent correctement leurs traitements ; en réalité, ce sont des organismes fictifs, chargés par des industriels du médicament d'infiltrer les associations de patients pour promouvoir leurs produits.

— Okay...

— Et la Société canadienne d'éducation du patient fait partie d'un réseau mis sur pied par WOPharma, le numéro 2 mondial du médicament et du matériel médical.

— Tu en es sûr ?

— Certain. Toutes les branches portent le même nom, « Société d'éducation du patient », il est même déposé. Il n'y a que l'adjectif désignant le pays qui change...

— Bon, mais pourquoi est-ce un problème ? L'une des missions du foyer, c'est faciliter l'accès aux soins des itinérants, qui aux yeux des médecins sont de

1. Désolé, je parle trop.

« mauvais » patients : ils ne se surveillent pas bien quand ils ont une maladie chronique comme un diabète ou une épilepsie ; ils ne prennent pas leurs traitements parce qu'ils préfèrent dépenser leur argent autrement... Est-ce que ça n'est pas une population à « éduquer », justement ?

— Pas dans le sens où l'industrie l'entend. Ce ne sont pas des patients rentables. Ils sont trop imprévisibles. La cible favorite de l'industrie, ce sont les patients très bien insérés dans la communauté. À ceux-là, on peut faire passer la visite d'une infirmière privée pour une prestation de santé, même si elle vient surtout pour vérifier qu'ils ont bien acheté ce que les médecins ont prescrit. Les itinérants, eux, s'en foutent complètement.

— Alors ?

— Alors, je n'ai jamais vu une antenne de WOPharma faire de la philanthropie. Quelle que soit la manière dont Mme Mathilde Laroche et son organisme apportent leur concours au foyer, ils le font pour une raison très précise, inévitablement lucrative, que je ne connais pas. Ça, c'est mon premier souci.

— Tu en as un autre ?

— Oh, oui... Pour que ce suppôt de Satan soit autorisé à apporter son « concours » au foyer, j'imagine qu'il a fallu un vote du conseil d'administration après consultation du comité d'éthique. Et qui siège à l'un et à l'autre ?

*

Assis devant l'écran éteint de l'ordinateur de Kathleen, j'essaie de réfléchir. À mon reflet se superpose son visage tel que je l'ai vu affiché sur les murs dans le bureau d'Owen. Je regarde autour de moi. Elle a travaillé ici. Et c'est ici (« dans son bureau de travail », a dit Jennie le jour où elle me l'a appris), qu'elle a été tuée. Elle a laissé entrer son assassin. C'était donc une personne qu'elle connaissait ; et à qui elle n'a pas craint d'ouvrir... Mais qui a commis un geste d'une violence inouïe.

Étrangler, c'est le geste d'un homme. Oui, mais une femme athlétique peut le faire. Et puis, comment a-t-elle été étranglée ? À mains nues ? Avec une écharpe, une ceinture ? Une femme peut le faire. Une femme folle de rage... De toute manière, ce n'est pas en éliminant un genre ou l'autre que je trouverai la solution. C'est en me mettant dans la peau de l'assassin...

Ou alors, dans la peau de Kathleen.

Je suis assise à mon bureau. La lumière extérieure, au-dessus de la porte de l'appartement, est allumée – c'est ainsi qu'on signale aux amis qui passent dans la rue qu'on est éveillé.

Assise dans ce fauteuil en bois que j'ai aimé dès que je l'ai vu, j'écris.

J'écris peut-être à Owen, pour lui dire que je m'en vais, pour le lui expliquer car je ne veux pas qu'il souffre, pour lui faire comprendre que j'étouffe ici à Montréal, que je ne veux pas, à quarante-sept ans, devenir une de ces intellectuelles embourgeoisées qui ne sortent de l'île que pour aller passer la fin de semaine ou les vacances dans une cabane au bord d'un lac et d'une plage privée des Laurentides.

Je lui écris que je l'aime mais que mon sang, ma chair m'appellent là-bas, sur la baie James, parmi mon peuple. Il est temps que j'y retourne. Pour de bon, cette fois-ci. Il n'a pas besoin de moi ici. Personne n'a besoin de moi ici. Et moi, j'ai besoin d'être moi-même, là-bas.

On frappe à la porte vitrée. Je n'attends personne, mais il me suffit de pencher un peu la tête et je vois le visage de celle ou celui qui vient me rendre visite. C'est un visage familier. Je souris.

Savait-il que je serais seule ce soir ? Qu'il me trouverait dans mon bureau ? Je me lève. Je lui ouvre. Je l'invite à s'asseoir. Et là, que se passe-t-il ? Ce visiteur, que veut-il de moi ? Me parler seulement ou me convaincre ? Me demande-t-il de l'argent, ou mon aide ? Et pourquoi la conversation, peut-être d'abord calme, tourne-t-elle à la confrontation ? Qu'est-ce qui pousse mon visiteur à devenir mon agresseur ? Qu'est-ce qui l'amène à poser ses mains sur mon cou... ? Qu'est-ce que je lui dis pour qu'il commette ce geste ?

★

Je lève les yeux de ma rêverie. Le bureau est installé face à la porte d'entrée, mais en biais, de sorte que le fauteuil se trouve comme enclavé dans le coin de la pièce, entre les deux pans de bibliothèque. Il suffit de le faire pivoter et d'étendre le bras pour toucher les livres. Je regarde autour de moi. Il n'y a que des livres, ici. Même la table basse, près du canapé, porte des livres. Les murs de cette pièce sont couverts de livres. Si j'avais les photos de la scène de crime, je saurais si tous les livres que je vois empilés autour du bureau et dessus ont été déplacés depuis la nuit du meurtre...

Damn ! Je donnerais tout ce que j'ai pour avoir accès aux fichiers de la police de Montréal.

Mais personne ne m'a confié la mission de résoudre l'affaire. Je n'ai aucune autorité pour ça.

L'autorité, non. L'obligation morale, peut-être bien.

Car rien – mon arrivée, mon logement, cet anniversaire sinistre, la mort annoncée d'Owen, l'angoisse qui pèse sur le CRIE – n'est fortuit dans cette histoire. Alors, la moindre des choses serait de m'efforcer d'en comprendre le sens.

Et, à cet instant, je me dis que je suis trop bête. J'ai tout ce qu'il faut sur moi. Et je sors l'artillerie. En l'occurrence, une clé USB accrochée à l'intérieur de mon sac.

J'ai trop fréquenté les gendarmes de Tourmens – comme légiste et comme médecin de famille – ces dernières années pour ne pas avoir appris – et emprunté – quelques trucs. Par exemple un petit programme algorithmique qui ouvre toutes les sessions informatiques sécurisées de n'importe quel ordinateur personnel… J'introduis la clé dans l'ordinateur et je l'allume.

La page d'ouverture apparaît, avec deux sessions : « Kathleen » et « Invité(e) ».

Ma clé se met à clignoter. Le programme se charge en mémoire vive et affiche « Cliquez sur la session à déverrouiller ».

Je sélectionne la session « Kathleen ».

25

Wise Blood

Mont-Royal/Saint-Urbain, dimanche 23 mai

Beauty's est un *delicatessen* comme on en voit dans les films. Dans une salle de *diner* tout en longueur, bordée d'une baie vitrée, des box pour deux ou quatre convives sont alignés parallèlement à un comptoir derrière lequel officient deux cuisiniers. Trois serveurs se partagent les clients. À mon arrivée, une femme plus très jeune mais souriante et maternelle me verse un grand verre d'eau glacée puis un café clair au léger goût caramélisé avant de me remettre un menu. Je regarde l'heure, dix heures moins dix, je suis en avance. Je ne voulais pas faire attendre Joshua.

C'est à lui que j'ai pensé hier au moment de cliquer sur la session de Kathleen.

Et en pensant à lui, j'ai compris que je me trompais. Je m'étais laissé prendre dans la trame de sentiments qui lie les personnages de cette histoire. Ivre de toutes ces confidences, je me croyais capable d'en démêler les fils. Mais ce qu'on m'a confié ne me confère aucune légitimité et, contrairement à ce que je me suis imaginé, je n'ai aucune justification morale à intervenir. Ma seule obligation réside, comme toujours, dans le respect absolu de la vie privée d'autrui. Chaque fois que je recueille des confidences, je m'interdis de les utiliser. Je n'ai pas le droit de chercher à en savoir plus.

Je ne suis pas l'acteur de la tragédie qui se noue en ce moment. Je ne suis pour l'heure qu'un spectateur privilégié. Et je ne serai peut-être jamais que ça.

J'avais beau me dire hier – à tort ou à raison – que je le faisais « pour la bonne cause », combien de secrets m'aurait-il fallu violer en lisant le contenu de cet ordinateur avant de mettre la main sur un hypothétique indice ? Et d'ailleurs, si semblable indice existe, se trouve-t-il dans l'ordinateur ? À moins que Kathleen n'ait été assise devant son journal au moment où on frappait à sa porte et n'y ait écrit : « Voici Untel, je vais lui ouvrir », il est peu probable que j'y trouve quoi que ce soit d'éclairant… La police de Montréal – qui n'a sûrement pas manqué de tout lire en long, en large et en travers – l'aurait vu.

J'attends Joshua parce qu'il veut me soumettre une question d'éthique. Il me fait confiance.

Comment pourrais-je le regarder en face, aujourd'hui, si j'avais mis mon nez dans l'ordinateur et fouillé dans les affaires de sa mère – et, probablement, dans celles de son père et les siennes ?

Si je dois un jour comprendre quelque chose à toute cette histoire, ce sera sans violer personne.

*

Et je suis soulagé de m'être ainsi dégrisé au bon moment, d'avoir retiré la clé USB et éteint l'ordinateur, lorsque la longue silhouette de Joshua s'approche de moi. Le jeune homme s'installe de l'autre côté de la petite table carrée. Il porte le même gilet fermé qu'hier, à la fermeture remontée jusqu'au menton, comme en plein hiver.

— Merci d'avoir accepté de m'écouter, dit-il.

— J'espère que je serai utile…

Je lui tends la carte. Il secoue la tête.

— Juste du café. J'ai déjà déjeuné. (Il réfléchit.) Je viens vous soumettre un problème sérieux…

— Allez-y.

— Je sais que vous n'aurez peut-être pas de solution, mais j'ai besoin d'un regard extérieur. D'un avis… raisonné. Vous comprenez ?

— Je comprends très bien.

— Leonard et Hugh m'ont assuré que ce que je vous dirai ne sera révélé à personne, pas même à eux.

— Leur confiance m'honore autant que la vôtre. Effectivement, tout ce que vous me direz restera entre nous.

Il hoche la tête et croise les mains.

— Tous les foyers d'hébergement ont des règlements. Les personnes accueillies doivent s'y plier, sous peine d'être exclues.

— Oui… Interdiction de faire entrer de la drogue ou de l'alcool, par exemple. Ou d'en consommer pendant qu'ils sont hébergés…

— C'est ça… Les règles sont définies clairement dans les statuts et affichées dans les foyers. La question que je veux vous poser est celle-ci : est-il acceptable, éthiquement parlant, qu'une règle qui ne figure pas dans les statuts soit imposée aux personnes accueillies…

— Qu'est-ce qu'on leur impose, exactement ? Une activité illégale ?

— Non. On leur impose le silence.

— Expliquez-vous…

Il hésite, et soupire profondément.

— Vous connaissez mon père… Owen La Chance.

Aïe. Qu'est-ce qu'il sait de ma conversation avec lui ?

— Oui…

— Il faut qu'il reste en dehors de ça, dit-il brusquement.

Je suis sur le point de l'assurer de ma discrétion une nouvelle fois, mais il poursuit.

— Je ne veux pas qu'il fasse appel à la police ou mette le foyer sous tutelle judiciaire.

Il regarde fixement ses mains puis lève les yeux vers moi.

— J'ai été absent de Montréal longtemps. Je suis revenu il y a quelques jours seulement. Je n'avais pas l'intention de rester. Mais je voulais revoir Julie et notre petite fille sans avoir à rencontrer mon père...

Ah, bon dieu ! Il me dit ce qu'Owen désire savoir et je ne peux rien en faire...

— Et vous avez préféré aller loger au foyer de la rue Ferron...

— Oui. Je connais bien l'équipe. Je leur ai demandé s'ils avaient la place de me loger pendant une ou deux semaines, le temps que je trouve autre chose... Je suis chez moi, là-bas...

— Je comprends.

— Tous les jours, je prends mes repas avec les hommes hébergés au foyer. Et ils me parlent. Le règlement leur impose de voir un médecin à leur arrivée...

— Ah...

— Or, le médecin leur ordonne de ne jamais parler de ce qui s'est dit en consultation, sous peine d'être exclu du foyer.

— *Quoi ?*

— Il leur dit qu'ils sont liés par le secret médical.

— C'est ridicule ! Le secret médical s'impose au médecin, pas au patient !

— Je le sais, mais beaucoup d'itinérants qui demandent un hébergement au foyer sont fragiles et influençables. Il est facile de leur faire croire ce genre de chose...

— Oui, surtout s'ils sont convaincus que c'est dans leur intérêt... Bon, en tout cas, il est certain que ça n'est pas éthique du tout. Un médecin n'a rien à imposer à un patient : ni examen, ni traitement. Et encore moins le silence. Et je ne connais pas bien la législation québécoise, mais je suis prêt à parier que ce n'est pas légal non plus !

— Tout cela, je le sais... Le dilemme que je voulais vous soumettre est plus délicat : un des hommes m'a confié ce qui s'est passé en consultation avec le médecin, et les conséquences de ces consultations. C'est monstrueux. Et je ne sais pas quoi faire, car je ne peux rien faire. Et je n'en dors plus.

Je sens qu'il ne me dira rien de plus sur les confidences de cet homme. Mais une autre question me brûle les lèvres.

— Pourquoi cet homme s'est-il confié à vous ?

Il réfléchit un long moment et soupire.

— Il me connaît. Il vient du village de la baie James où j'ai passé les trois années passées. Il m'a parlé, cette fois comme bien des fois, parce qu'il est sûr que je ne le trahirai pas.

Ses mains remontent vers son col, et font glisser la fermeture de son gilet, sous lequel j'aperçois une chemise noire et un col blanc.

— Je suis son prêtre, dit Joshua.

26

The Wild One

« J'ai quitté Montréal il y a trois ans, à la mort de ma mère. Je n'ai pas supporté la violence de sa mort, mais j'ai été brisé par la violence qui m'a submergé, moi, à ce moment-là. Pendant mon adolescence, ma mère a quitté mon père ; je suis devenu un enfant perdu, un enfant troublé, un enfant brutal, qui terrorisait ses camarades, qui cherchait sans arrêt l'affrontement avec son père, avec tous les adultes. Mon père est un homme bon mais rigide ; il n'exprimait jamais ses sentiments et seule ma mère savait les lire. J'étais incapable de m'entendre avec lui. Je l'ai, une première fois, accusé d'être responsable de son départ. Je n'avais pas compris. Et puis, Kathleen est revenue, et elle m'a expliqué qu'il n'y était pour rien. Je suis devenu un jeune homme, mais je n'étais pas moins tourmenté. À force de patience, elle a réussi à m'apporter un certain équilibre, elle a fait apparaître ce qu'il y avait de meilleur en moi. Elle s'est dit que si je quittais le Québec, si j'allais vivre et étudier ailleurs, je pourrais conserver l'équilibre qu'elle m'avait aidé à acquérir, et l'investir de manière constructive, créative. Elle avait raison... en partie. J'ai eu du mal à m'adapter à la France. Heureusement, j'ai rencontré Julie, et elle m'a aidé à reprendre le dessus. Kathleen m'a écrit pour m'annoncer l'ouverture du foyer. J'ai pris l'avion pour assister avec elle à l'inauguration, et pour parler de Julie à mes parents. Le jour où je suis arrivé à Montréal, Julie m'a appelé pour me dire qu'elle était enceinte. Elle l'avait découvert le matin même. Elle me demandait si je voulais garder l'enfant. J'ai été horrifié à l'idée qu'elle interrompe cette grossesse. J'étais amoureux d'elle. Je l'aime toujours profondément... même si je comprendrais qu'elle me haïsse de l'avoir ainsi abandonnée... J'ai pris un billet d'avion pour elle, je lui ai demandé de me rejoindre à Montréal. Je voulais que les choses soient claires, pour Kathleen, pour Owen, pour Julie et l'enfant à naître. Et puis... Kathleen a été assassinée. J'ai perdu la raison. Une nouvelle fois, j'ai accusé mon père, et j'ai failli le tuer.

« Lorsque je me suis vu au-dessus de son corps ensanglanté, lorsque j'ai pris miraculeusement conscience de mon geste juste avant de lui ôter la vie, j'ai été terrorisé, et j'ai fui. Je ne fuyais pas la justice, ni le regard de ceux qui les aimaient, ma mère et lui, j'ai fui l'homme que j'étais et que je croyais avoir maîtrisé. J'ai fui la femme à qui je venais de faire un enfant, et l'enfant à naître, de peur de leur faire mal, à eux aussi. J'ai fui, lâchement, en sachant que mon père, lui, ne les abandonnerait pas. J'ai fui ce que je ne voulais pas voir en face. Je suis allé me réfugier à Chisasibi, sur la baie James, dans la communauté d'où ma mère était originaire. Et là, j'ai cherché à savoir qui j'étais vraiment. Et j'ai compris que j'étais un homme profondément violent, un homme guidé par ses pulsions, que ni l'amour de ses parents, ni son éducation n'avaient aidé à se contrôler. Il me fallait m'en remettre à une autorité plus forte que la leur... J'ai rencontré un prêtre, qui m'a fait comprendre que la foi de ma mère – la foi de nombreux autochtones au Canada – était puissante ; et que ma foi ne demandait qu'à s'épanouir. Et j'ai découvert qu'il avait raison. Ma foi est plus puissante que ma violence et mon aveuglement. Elle me protège et elle me guide. Et j'ai décidé d'aider à mon tour ceux qui, comme je l'avais fait, se perdaient dans la violence ou se retrouvaient seuls face à elle. J'ai été ordonné prêtre l'an dernier.

« Peu à peu, j'ai trouvé la force de revenir ici, d'abord pour voir Julie et notre fille et assumer mes responsabilités à leur égard ; ensuite pour aller demander pardon à mon père ; et enfin, pour renoncer à l'héritage de mes parents. Kathleen et Owen ont été intègres et bons ; je n'ai pas hérité de leur bienveillance, je ne veux pas hériter de leur fortune.

« Vous êtes médecin, vous connaissez la complexité douloureuse qu'il y a en chacun de nous. Alors vous me comprendrez si je vous dis que là-bas, à Chisasibi, je suis prêtre et je sais aider ceux qui font appel à moi, mais qu'à l'idée de revenir ici, j'ai senti le petit garçon effrayé, en colère, violent, remonter à la surface. J'avais peur d'affronter le regard de mon père. Voilà pourquoi j'ai choisi de revenir au foyer de la rue Ferron, à la date anniversaire de son inauguration. Je pensais que je pourrais y revoir mon père, au milieu de ceux que Kathleen et lui ont rassemblés et aimés. En arrivant ici, j'ai appris qu'Owen est gravement malade, et cette nouvelle m'a paralysé de honte et de culpabilité. Et puis, cet homme, au foyer, m'a parlé de ce qu'on lui a fait subir... de ce qu'on lui a fait faire... et me voilà incapable d'avancer.

« Je ne sais pas si vous pouvez m'aider. Je n'en suis pas sûr. J'ai le sentiment que je suis encore et toujours le jouet des événements, de forces qui m'échappent. Et j'ai beau prier, je ne comprends pas... »

*

Je regarde Joshua.

Je ressens d'autant plus vivement son dilemme que je vis exactement le même – la tragédie en moins.

Je voudrais pouvoir le pousser à aller voir Owen, lui dire qu'il n'attend que ça. Mais comment le faire sans trahir le père et sans mentir au fils ?

Je ne peux rien lui dire. Et je ne peux surtout pas me mettre à sa place et lui dire quoi faire. Mais je peux lui rappeler les règles, celles qui s'appliquent à tous. Je peux lui dire de s'appuyer sur la loi.

*

— Vous êtes venu pour aider les hommes qui sont accueillis par cette institution.

— Oui.

— Alors vous ne pouvez pas rester complice de ce que vous savez. Et vous pouvez faire quelque chose sans trahir le secret qu'on vous a confié.

— Comment ?

— Il y a au moins deux manières. Une bonne, une qui l'est moins. Toutes les deux sont... éthiques. Toutes deux respectent le secret. La première, c'est d'inciter vivement l'homme qui vous a parlé à aller dénoncer lui-même ce qu'on lui a fait subir. En lui expliquant qu'il n'a pas à garder le secret. En le rassurant sur le fait qu'une « règle de silence » qui lui est imposée de force est une règle sans valeur.

— Il ne voudra jamais... Il ne voudra jamais apparaître comme un mouchard....

— C'est possible. Mais ça mérite d'essayer. Ce que ce médecin impose aux pensionnaires du foyer, c'est un abus d'autorité. Et tant que les personnes abusées par des figures d'autorité se taisent, elles ne peuvent pas obtenir justice.

Je me dis que je suis allé trop loin, qu'il va m'en vouloir de toucher à un endroit où ça fait mal. Mais il hoche la tête.

— Et l'autre solution ?

— Vous avez connaissance d'un abus qui se commet dans des lieux où on est censé aider les personnes. Vous avez le devoir d'en faire état auprès du conseil d'administration ou d'un de ses représentants. Vous n'avez pas besoin de citer votre source. Votre parole et le fait que vous faites partie de l'équipe en ce moment suffisent pour déclencher une enquête.

— Mais s'il y a une enquête, l'homme qui m'a parlé risque d'être incriminé...

— Si on l'a amené à commettre des actes illégaux, l'enquête permettra de lui venir en aide. Si personne n'intervient, la manipulation peut se poursuivre... Ce n'est pas lui que vous dénoncez, c'est ce qu'on lui a fait subir. Ce qu'on risque de lui faire subir encore. À lui et à d'autres.

Il se frotte les yeux, soupire encore une fois, referme son gilet jusqu'au menton.

— Je vais réfléchir à ce que vous venez de me dire... Merci de m'avoir écouté jusqu'au bout, docteur.

— Charly. S'il vous plaît.

— Merci de m'avoir écouté, Charly.

— Merci de votre confiance, Joshua.

Il me tend la main, la serre longuement. Dans ses yeux verts, je lis de la tristesse et de la détermination.

Et je m'entends penser : *Il sait ce qu'il va faire.*

27

Picnic

Parc Lafontaine, dimanche midi

Après ma conversation avec Joshua, je n'avais pas la moindre envie d'aller rejoindre l'équipe du CRIE pour le pique-nique de printemps au parc Lafontaine.

Seulement, hier soir, Jennie, Adélaïde et Réjane harcelaient Don pour qu'il se joigne au repas. Don, qui n'y tenait pas plus que ça, a cédé quand j'ai dit à haute voix : « Si tu ne viens pas, qui me traduira ce qu'elles racontent ? J'avais déjà du mal à comprendre les femmes, mais les Montréalaises, c'est quasiment un genre à part... »

Elles se sont mises à me bourrer de coups de poing (Réjane), à me fusiller du regard (Jennie) et à me couvrir de quolibets (Adélaïde).

Sans lever le petit doigt, Don a déclaré, avec le plus grand sérieux : « D'accord. Je vois le problème... *But you owe me one*[1]. »

Je suis soulagé à l'idée d'y aller avec lui.

Et puis j'ai envie de revoir Réjane.

1. Tu me revaudras ça.

L'après-midi passé ensemble était doux et tranquille. Je ne sais presque rien d'elle – en dehors de son enfance à Pointe-aux-Outardes, un village de la côte Nord, dont je connais chaque détail – et j'ai envie d'en savoir plus. Et je sais qu'elle a envie de m'en dire plus.

*

Je passe prendre Don au *Disco Volante.* Il en sort au moment où j'arrive. Il a confié la caisse à un ami pour le reste de la journée, et me tend un boîtier de DVD sans jaquette.

— C'est quoi ?

— Ton gage, pour m'avoir attiré dans un traquenard.

— *Noooooonnnn !*

— Ah, si tu veux flirter avec les filles d'ici, il faut assumer les conséquences...

J'ouvre le boîtier. C'est un DVD gravé. Il ne porte aucune indication.

— Un film ?

— Trois. *An Affair to Remember, Bridges of Madison County* et *Brokeback Mountain.* Tu dois les regarder *non stop* avec la femme de ton choix. Et tu fournis les mouchoirs.

— C'est pas une punition, c'est un cadeau !

— *Think again, Pal !* Je t'ai gravé les versions québécoises.

— Mais... tu es *diabolique* !

*

J'avais tort de me faire du souci. Quand nous arrivons au parc Lafontaine, ce n'est pas un groupe d'universitaires et de travailleurs sociaux qui s'affairent autour d'une table couverte de tartes, de salades, de fruits et légumes crus et cuits sous toutes les formes (« Il y a beaucoup de *veggies* parmi nous », m'a expliqué Marlon l'autre jour), c'est une fête de patronage.

J'avais oublié que les adultes ont parfois des enfants. Et parmi les adultes qui sont passés au CRIE avant moi, beaucoup ont des enfants, à présent. Plusieurs des doctorantes studieuses penchées en semaine sur des ordinateurs ou des piles de documents sont venues, ce dimanche, avec leur conjoint aux manettes d'une poussette-canne et leur bébé au fond d'un sac-kangourou. Ça crie, ça rit et ça galope dans tous les sens. Les tout-petits s'extasient devant les écureuils agrippés aux arbres. Les plus grands se lancent des balles ou des frisbees.

Je cherche Réjane, mais je ne la vois pas. Jennie et Adélaïde sont en train d'ouvrir des boîtes hermétiques et de les disposer sur une grande planche nappée posée sur des tréteaux.

— Tiens, voilà les garçons, dit Adélaïde. Vous avez bien dormi, tous les deux ?

— Il ronfle, réplique Don du tac au tac. J'aurais dû te le laisser.

Pendant que Don se met à lui parler tout bas, sans doute pour s'expliquer, je m'approche de Jennie.

— Hypathie est là ?

— Bien sûr, dit-elle, les yeux brillants en m'entendant prononcer le nom de sa fille.

— Vous me la présentez ?

— Oui, si vous la reconnaissez ! répond-elle sur un ton étrange. (Elle désigne une demi-douzaine de petites filles installées autour d'une table pliante.) Ce n'est pas difficile, ajoute-t-elle avec une toute petite voix. Elle a les mêmes yeux que moi...

Je m'approche de la table. Avec des gestes maternels, une fillette brune de sept ou huit ans, coiffée avec des tresses et vêtue d'une salopette verte est en train de servir de l'eau à de plus petits qu'elle.

Elle est grande pour son âge, longue, mince, et lorsqu'elle lève la tête, je découvre sur son visage les traits, les sourcils froncés, le même regard soucieux que le jeune garçon dont j'ai vu les portraits dans le bureau d'Owen, deux jours plus tôt.

Ah, Jennie, Jennie...

L'une des plus jeunes enfants est en train de boire. En me voyant, elle fait un signe de la main. Elle repose son verre, s'essuie la bouche et dit « *Hi !* » de sa toute petite voix.

Je lui souris en réponse.

— *Hi, Alice.*

La fillette brune me regarde.

— Bonjour, lui dis-je. Tu dois être Hypathie...

Hypathie fait oui de la tête et se tourne vers sa mère. Le visage de Jennie change quand son regard croise le mien. J'essaie de lui sourire de la manière la plus neutre possible, mais on ne dupe pas comme ça une femme intelligente. Elle sait que j'ai compris.

Je m'attends à ce qu'elle le prenne très mal, mais à ma grande surprise, ses épaules s'affaissent avec un soupir de soulagement. Elle dispose une boîte emplie de taboulé entre deux saladiers, s'essuie les mains et fait le tour de la table. En silence, elle m'entraîne vers un banc, à l'ombre, assez près pour qu'Hypathie nous voie, trop loin pour qu'on nous entende.

— Vous êtes le premier à deviner, dit Jennie sans me regarder. Je me disais que ça finirait par arriver : elle a beaucoup changé, ces dernières semaines... Elle ressemble de plus en plus aux photos d'Owen au même âge.

Elle soupire.

— À présent, je peux en parler à quelqu'un. Pendant huit ans, je n'ai rien pu dire.

— Pas même à son père ?

— Surtout pas à son père ! Il est trop droit. Il aurait tout fait pour *réparer*. Il n'aurait pas voulu entendre qu'il n'y a rien à réparer. Ce qui s'est passé entre nous, j'ai choisi de le vivre, en connaissance de cause. Je l'ai toujours aimé, depuis le premier jour, et nous ne sommes devenus amants que lorsque Kathleen l'a quitté. (Sa voix devient amère.) Le pire, c'est qu'elle m'avait demandé de veiller sur lui ! Elle ne savait pas que je l'aimais. Et moi, je me suis sentie libre d'aller de l'avant. Quelle folie... Quelles folles nous avons été, elle et moi... Mais j'ai toujours su que je ne la remplacerais jamais. Lorsqu'elle est revenue, je me suis effacée. La naissance d'Hypathie est un accident, mais je n'ai pas une seule seconde pensé à avorter... ou à demander quoi que ce soit.

— *Mmhhh...*

— Vous pensez que j'ai eu tort ?

Sa voix est plus tendue.

— Oh, mon Dieu, non ! Qui suis-je pour vous juger ? Non, je me demandais seulement ce que vous aviez dit à Hypathie.

— La vérité. Que son père est un homme bien, qu'il ne sait pas qu'elle existe, que j'avais mes raisons de ne pas le lui dire, que je les lui expliquerai quand elle sera plus grande et que, ce jour-là, elle sera libre d'aller le voir en m'envoyant au diable. (Elle se tait quelques secondes.) J'étais naïve. Je n'imaginais pas qu'il...

Sa voix s'étrangle.

— ... qu'il pouvait mourir avant de la rencontrer.

Elle regarde la table et les petites filles qui pique-niquent et bavardent.

— Julie m'a dit qu'Owen se sentait trop fatigué pour venir aujourd'hui. S'il était venu jusqu'ici... S'il avait vu Hypathie, il aurait compris.

Quelle ironie ! Alors qu'il cherche à savoir si Alice est la fille de Joshua, il se serait découvert une fille dont il ignore l'existence !

Je pousse un profond soupir.

— Est-ce que la maladie d'Owen vous a fait changer d'avis ?

— Non. Je l'aime. Je ne vais pas lui pourrir les quelques mois qu'il lui reste à vivre.

Est-ce que ça lui pourrirait vraiment la vie de savoir qu'il a une fille ?

Elle me regarde, comme pour chercher dans mes yeux la confirmation du pronostic qu'elle vient d'énoncer. Je ne suis pas très bon pour cacher mes sentiments en découvrant une filiation, mais quand il s'agit d'une mort annoncée, je ne cille pas.

Elle renonce et poursuit :

— Hypathie m'en voudra, mais elle est intelligente. Elle comprendra, j'espère, pourquoi je ne lui ai pas permis de connaître son père.

À la table, là-bas, un verre s'est renversé sur Alice, qui se met à pleurer. Hypathie essuie la table et le tee-shirt de sa cadette ; puis elle la prend dans ses bras et la console.

— Elle a peut-être déjà compris…

28

Guys and Dolls

Trois garçons de six, huit et dix ans m'ont enrôlé pour jouer au frisbee après m'avoir vu sauter et rattraper le leur au vol. Je me fais plaisir. Pendant que je leur montre un savoir-faire acquis de haute lutte pendant mon internat, je vois une femme apparaître près des tables de nourritures et me sourire comme une fiancée guettant un bateau qui s'approche. Il me faut quelques secondes pour la reconnaître. Depuis que je suis arrivé dans le parc, je cherchais la silhouette en jeans et blouson aux côtés de laquelle j'ai marché hier, pendant tout l'après-midi. Mais aujourd'hui Réjane porte une robe d'été et un sac en paille tressée à l'épaule ; elle a mis une barrette dans ses cheveux, du rouge à ses ongles, du rose à ses lèvres et, pendant que je la dévore des yeux, le frisbee m'atterrit sur le front et les garçons éclatent de rire.

Tandis que je me venge en faisant galoper les trois zèbres aux quatre coins du parc, je vois du coin de l'œil Adélaïde s'approcher de Réjane. Vingt minutes et trois garçons épuisés plus tard, la partie de frisbee s'arrête faute de combattants. Réjane se détache d'Adélaïde, vient à ma rencontre, pose une main sur mon cou, attire mon visage vers le sien et me donne un baiser encore plus doux que celui d'hier.

— Tu vas faire jaser, dis-je en regardant autour de nous.

— Je marque mon territoire.

— Et il a son mot à dire, le... territoire ?

Elle fronce les sourcils comme une maîtresse d'école.

— Oui, mais juste un mot, alors...

Je réfléchis une seconde et je dis :

— Bienvenue !

*

Une assiette en carton dans une main, un verre de jus d'orange dans l'autre, j'accompagne Réjane jusqu'à l'une des grandes tables en bois du parc. Hugh, Leonard et plusieurs de leurs étudiants s'y sont installés. Tous deux portent pantalon léger et chemisette, mais Hugh a orné son col d'un nœud papillon.

Assise à un bout de la table, Lucie-Anne Jones garde un œil sur la poussette rouge dans laquelle dort son bébé et braque l'autre sur les deux codirecteurs.

Personne ne parle, alors je décide de mettre les pieds dans le plat.

— J'ai vu beaucoup de petits enfants et de femmes enceintes dans le quartier, depuis que je suis arrivé. C'est une impression, ou ça correspond à quelque chose ?

— C'est vrai, dit une étudiante aux cheveux roux. La population du plateau Mont-Royal est jeune, avec beaucoup d'immigrants récents.

— Je ne comprends pas qu'on veuille encore faire des *ennfans* dans le *monndé* d'auzourd'hui, dit un grand jeune homme barbu à l'accent italien.

— Pietro, tu es un homme de raison, dit Hugh, mais dans le cerveau humain, les priorités sont : survivre et se reproduire. L'égoïsme des gènes l'emporte sur la raison. Il n'y a que deux solutions pour sortir de ce déterminisme : l'abstinence ou la stérilisation volontaire. Et je peux témoigner que la stérilisation est plus agréable. Un quart d'heure de désagrément, une vie de plaisir...

L'étudiante rousse glousse. En entendant le mot plaisir, deux jeunes hommes penchés sur leur assiette ont levé la tête.

— Ah, mais chez moi en Italie, ça n'est pas *pann*-sable, répond Pietro en secouant la tête. La stérilisation, ce n'est pas *sell*ement le ref*ous* de la fécondité, c'est aussi le re*fous* de la *virilità*.

— Ici aussi, je te rassure, intervient Leonard, sourire en coin. Mais en Amérique du Nord, la sexualité est beaucoup plus réprimée qu'en Europe, alors on trouve toutes sortes d'excuses et de procédures masochistes pour travestir nos turpitudes.

Hugh examine le sandwich dans lequel il allait mordre.

— Je crois que, aujourd'hui, décider de ne pas procréer est une décision morale aussi valide que celle de devenir végétarien.

— Vous êtes végétarien, professeur Osler ? demande la rouquine.

— Non, mais il n'a pas produit de nouveaux consommateurs de viande, commente sèchement Leonard.

— Un enfant n'est pas seulement un consommateur de viande ! Ni un *morceau* de viande, lance Lucie-Anne.

Leonard ouvre la bouche, mais c'est Hugh qui prend la parole.

— Nous n'avons pas choisi de venir au monde, dit-il, mais nous pouvons choisir de ne pas donner la vie à des êtres qui seraient, comme nous, soumis aux douleurs et aux angoisses de l'existence. À la conscience de devoir mourir un jour. Au sentiment d'absurdité quand nous trouvons que la vie n'a aucun sens. Personnellement, lorsque j'ai compris que je pouvais éviter ça, j'ai pris ma décision. Ce qui nous pousse à nous reproduire n'est pas spécifique à l'espèce humaine. C'est une pulsion universelle chez les êtres vivants. Mais la liberté d'un homme se définit par la distance qu'il prend à l'égard de ses pulsions. Dans un monde de raison, chaque individu devrait envisager sérieusement l'éventualité de ne pas procréer.

— Pourtant, demande la jeune femme rousse qui n'a visiblement pas perçu la tonalité intime de la discussion, est-ce que l'individu n'a pas aussi pour fonction naturelle de contribuer à la survie et à la diversification de l'espèce ? Quand on choisit de ne pas procréer, on appauvrit le patrimoine génétique...

Leonard Landau secoue la tête.

— Vous voulez dire : « En refusant de procréer, on empêche peut-être le prochain Mozart de venir au monde » ? Oui, c'est l'un des arguments culpabilisants – et spécieux – qu'emploient les opposants à l'avortement. Spécieux parce qu'il présuppose qu'un Mozart a plus de valeur qu'un autre être humain et qu'il feint d'ignorer qu'alors on pourrait tout aussi bien dire : « Je choisis de ne pas avoir cet enfant parce que la probabilité qu'il devienne un assassin, un alcoolique, un pédophile ou un violeur dépasse largement celle qu'il devienne un Mozart. » Les animaux dépourvus de conscience ne savent pas qu'ils sont programmés pour se reproduire, que c'est « dans leur nature », si vous voulez. Nous, en revanche, nous le savons. Mais pour cette même raison, parce que nous sommes dotés de conscience, nous ne sommes pas – ou plus – des animaux assujettis à la nature. Notre cerveau nous rend capables de contrôler notre environnement et de modifier nos comportements de manière infiniment plus variée que tous les animaux. Conscience et savoir nous permettent de choisir d'obéir à notre programmation biologique, ou de nous y soustraire. Nous pouvons choisir de vivre, temporairement ou durablement, une sexualité sans fécondité. Ou de ne pas avoir de sexualité du tout. Nous pouvons même choisir de mettre fin à notre vie bien avant son terme « naturel ». La liberté n'a rien de « naturel » au sens où la vie d'un oiseau d'Amazonie serait « naturelle ». Un oiseau n'est pas libre de *ne pas* se reproduire. Un être humain, oui. Choisir de ne pas transmettre ses gènes, c'est, ni plus ni moins, une manière d'exercer notre liberté.

— Et donc, lance Lucie-Anne Jones avec amertume, tout homme peut *librement* renoncer à transmettre ses gènes et, tout aussi *librement* procréer puis refuser la paternité et toutes les responsabilités qu'elle comporte !

Je vois Léonard prêt à exploser mais, avant qu'il puisse répondre, Hugh prend la parole.

— Refuser la paternité... dit-il en inspirant profondément, ça n'est pas nécessairement un refus de responsabilité... à mon humble avis. Ce n'est pas non plus nécessairement violent... C'est même moins violent que d'endosser la paternité de manière « naturelle », quand on y pense. Beaucoup de mammifères mâles tuent systématiquement la progéniture existante des femelles avec lesquelles ils décident de s'accoupler pour être sûrs que la leur survivra ! Et, une fois que la femelle est fécondée, beaucoup de mâles cherchent une autre partenaire. Ce type de comportement est parfaitement « naturel » chez de nombreuses espèces animales, mais les humains ne sont pas des animaux comme les autres. L'évolution a sélectionné hommes et femmes pour qu'ils forment des couples durables le temps que leurs rejetons accèdent à une autonomie suffisante à leur survie. S'accoupler et devenir parent n'est pas, pour autant, une pulsion irrépressible. Les femmes choisissent parfois de *changer* de pourvoyeur pour leurs enfants, puisqu'elles se séparent et se réaccouplent. Les hommes peuvent choisir ou être choisis par une compagne qui a déjà des enfants et les élever comme s'ils étaient les leurs... À l'opposé, une femme peut librement choisir de ne pas garder une grossesse, ou de donner son enfant en adoption – donc, de ne pas être mère. Ou encore, d'élever seule, parce qu'elle le désire, l'enfant qu'elle porte – donc, de ne pas donner de père à son enfant, pour des raisons qui lui sont propres. Par conséquent, un homme est tout aussi libre – et pas moins « immoral » – de ne pas vouloir être père, même s'il a un ou des enfants biologiques, pour des raisons tout aussi respectables. Tant que nous réduisons les individus à leur déterminisme biologique ou aux règles sociales – en clamant, par exemple, que la procréation *doit* nous transformer en père ou en mère et que tout refus de cette fonction est « antinaturel » ou « immoral » – alors, il n'y a pas de liberté possible. Ni pour les hommes, ni pour les femmes...

— Oui, vous avez raison, répond Lucie-Anne, plus furieuse que jamais. Procréer et être père sont deux choses différentes. Et il ne faut pas que je me trompe de cible !

Elle se lève brusquement et guide sa poussette-canne rouge vers une autre table.

Réjane me regarde, stupéfaite – peut-être à cause de ce départ précipité, ou de ce qui vient d'être dit.

J'approche délicatement mon pouce et mon index du coin de ses lèvres.

— Tu as une miette, là...

Elle me laisse la cueillir.

29

Love in the Afternoon

D'un seul coup, l'atmosphère s'est alourdie et le ciel s'est couvert.

Nous restons longtemps silencieux avant que Hugh ne regarde sa montre, vérifie son nœud papillon comme s'il se rendait à un concert et s'excuse.

— *Leaving for Quebec tonight. A symposium. Gotta go pack my bags. See you at the station, Len*[1].

Leonard se lève, pose la main sur l'épaule de Hugh, le salue de la tête. Puis, les mains dans les poches, il se tourne dans la direction de Lucie-Anne et de son bébé.

Pietro et ses camarades ramassent les assiettes et les gobelets vides et les emportent vers les poubelles. Réjane me demande si je veux du café et se dirige vers les grandes Thermos que Marlon vient de déposer là-bas, sur la table-buffet.

Leonard se retourne et, me voyant seul à la table, murmure :

— Je peux vous poser une question médicale, Charly ?

1. Je pars à Québec ce soir. Un colloque. Je dois faire mes valises. On se voit à la gare, Len.

— Bien sûr…

Il lève les yeux au ciel et semble faire un effort pour chercher ses mots.

— Est-ce qu'une femme peut être enceinte même si elle n'a jamais oublié son anticonceptionnel ?

— Ah, oui.

— Je croyais que c'était une méthode sûre à cent pour cent.

Je lui fais un sourire tordu.

— Les deux seules méthodes contraceptives sûres à cent pour cent sont l'abstinence totale et l'homosexualité.

Tandis qu'il rit jaune, je poursuis :

— Une femme peut ovuler sous pilule, même si elle la prend parfaitement. C'est pas très fréquent, mais ça arrive. Surtout à des femmes jeunes. Quand elles se découvrent enceintes sans avoir oublié, c'est insupportable, parce qu'elles n'ont commis aucune erreur.

— Et la stérilisation… ?

— C'est radical, mais après l'âge de trente ans. Chez une personne plus jeune, une vasectomie ou une ligature de trompes ne sont pas totalement efficaces. Chez les jeunes gens, on utilise des méthodes qui permettent une reperméabilisation s'ils changent d'avis plus tard. Du coup, on assiste à des reperméabilisations spontanées… Les déférents ou les trompes sectionnés se recollent…

— C'est fréquent, ça ?

— Ce n'est pas fréquent, mais ça arrive… Comme les tremblements de terre au Québec.

Il hoche la tête.

— Il y en a eu un à Ottawa, il n'y a pas longtemps…

Il prend une grande inspiration.

— Alors, une femme qui dit être enceinte sans avoir oublié sa pilule… n'est pas nécessairement dans le déni…

— D'après mon expérience, non. Elle sait qu'elle n'a pas commis d'erreur. Et la femme à qui ça arrive est très abattue... ou très en colère.

— Je comprends...

Il me tourne le dos de nouveau.

— Est-ce que, pour un homme de mon âge, une vasectomie serait pleinement efficace ?

— Oui. Si la technique est bien choisie, au bout de quelques semaines, il n'y a plus de risque.

Il incline la tête, me remercie et, sans un mot de plus, s'éloigne.

Je le regarde faire le tour de la poussette-canne rouge, découvrir qu'elle est vide, chercher Lucie-Anne des yeux, l'apercevoir un peu plus loin, le bébé dans les bras, s'approcher d'elle, lever les mains en signe de non-agression, échanger quelques mots avec elle. Le bébé se met à pleurer. Manifestement énervée, Lucie-Anne hésite, puis colle un peu brusquement le bébé dans les bras de Leonard et se dirige vers la poussette-canne.

Je rêve peut-être, mais il me semble les voir sourire, tous les deux.

— À quoi penses-tu ? demande Réjane en posant un café devant moi.

— Je pense à la chasteté des stylites...

À la surface du gobelet, le café fait de petits bonds. Une goutte tombe sur la table, deux autres sur mon bras. Puis beaucoup d'autres.

Je me lève, je regarde Réjane. La pluie coule sur ses joues, elle sourit ; sa robe lui colle à la peau, elle est belle : je lui prends le bras, mais je n'ai pas envie de courir. D'ailleurs, personne ne court, tout le monde ramasse tranquillement les assiettes et les couverts, referme les boîtes, replie les couvertures tandis que les enfants écartent les bras et ouvrent la bouche, le nez au ciel.

30

Before Sunset

Les trombes d'eau qui noient les rues n'ont pas l'air d'inquiéter Réjane. Après avoir déposé deux étudiants sur Sherbrooke, elle remonte Saint-Denis à vive allure.

Sur le siège arrière, Don proteste un peu.

— C'est à toi que j'ai légué tout ce que je possède, ma chérie, j'aimerais mieux qu'on ne meure pas tous les deux le même jour.

— J'ai pas prévu de mourir aujourd'hui. Toi, oui ?

— Non, mais *tu avais-tu prévu* qu'il tomberait tout ça ? dis-je.

— Ahlala, vous les hommes ; vous n'aimez vraiment pas qu'une femme prenne le volant... D'où ça vient, ça ?

— Du pléistocène. Nos ancêtres étaient prêts à tout plein de dangers, mais pas à celui-ci. Et comme on a hérité de leurs cerveaux, on peut faire face aux mammouths, au feu, aux Néanderthaliens, mais pas à la conduite féminine sur route inondée...

— Bon, répond-elle, je sens que je vais te larguer, *maudit Français,* pis aller m'paqueter la gueule avec ma... tante à héritage, là ! Ou *tu préfères-tu* que je vous laisse revenir à pied, tous les deux ?

— Pas question ! s'exclame Don. J'ai autre chose à faire. Tu me laisses sur Mont-Royal et tu te débrouilles avec ton travailleur temporaire !

Quand elle le dépose, il nous fait un petit signe de la main et un sourire entendu.

Je m'attends à ce qu'elle tourne vers l'est sur Mont-Royal, pour me ramener rue Ferron, mais elle continue vers le nord sur Saint-Denis.

— Où allons-nous ?

— Chez moi.

— Tu m'invites à dîner ?

— Désolée. J'ai jamais rien dans mes placards.

— On se regarde un film, alors ?

— Non plus. Mon DVD est en panne.

— *Mmhhh*... Tu as des estampes japonaises ?

— Non, j'ai p'têt juste un catalogue Sears[1].

— Alors, ça va...

Elle roule beaucoup plus lentement à présent, en prenant garde aux autres véhicules qui, masqués par les rideaux de pluie, roulent autour de nous et projettent une eau boueuse sur le pare-brise.

Je ne sais pas ce qu'elle pense, et à vrai dire, je ne sais pas non plus ce que je pense, moi, sinon que j'ai toujours ce pansement dans le dos, sur une plaie que j'espère refermée, et que ça fait très longtemps que je n'ai pas retiré ma chemise – et encore moins le reste – devant une femme.

À la fin d'un trajet qui me semble très long, elle ralentit devant un immeuble de trois étages d'aspect récent et s'engage sur la rampe qui mène à un garage en sous-sol. Arrivée à mi-pente, elle stoppe le véhicule en attendant que la porte électrique se relève.

— Ah, *saint'mariemèrededieu*, j'espère qu'il n'est pas inondé...

— C'est déjà arrivé ?

1. Équivalent de La Redoute en Amérique du Nord.

— Oui, quand il pleut très fort, les égouts refoulent, le réseau de Montréal est vétuste…

Le sol du garage est sec. Réjane gare la voiture sur un emplacement portant le numéro 7.

Tandis que la porte du garage se referme, elle me guide vers l'escalier.

Deux étages plus haut, elle fouille frénétiquement son sac en paille avant de se rappeler qu'elle tient son trousseau de clés à la main et finit par déverrouiller la porte de son appartement. Elle pousse le battant, se retourne, passe ses bras autour de mon cou, m'embrasse à m'en faire perdre le souffle, me tire à l'intérieur.

Il fait sombre et elle n'allume pas, je l'entends laisser tomber le sac, se débarrasser de ses ballerines trempées, et au bout d'un petit couloir, nous entrons dans une vaste pièce meublée d'un bureau et d'un canapé clic-clac, aux murs couverts d'affiches de cinéma. Face au canapé, un écran plasma est flanqué d'imposantes enceintes. Dans un grand tiroir entrouvert, j'aperçois des dizaines de DVD et de cassettes.

— C'est dommage que ton DVD soit en panne, dis-je pour reprendre mon souffle.

— Tu as peur de t'ennuyer, c'est ça ?

— Non, j'ai peur que toi, tu t'ennuies…

— J'ai pas fini le catalogue Sears, ça ira.

Elle se détache de moi à regret, me fait signe de l'aider à déplacer la table basse et transforme le clic-clac en lit. Puis elle me prend par les épaules et colle de nouveau sa bouche à la mienne.

Brusquement, elle s'arrête et, sans me lâcher, s'exclame :

— Ah, c'que c'est bon ! J'attendais ça depuis… *longtemps* !

Je la prends par la taille.

— Je t'ai vue *jaser* avec Adélaïde, tout à l'heure, quand tu es arrivée au parc.

— Oui…

— Vous parliez de moi ?

— Qu'est-ce qui te fait croire ça ?

— Vous me regardiez fixement et je vous voyais faire la liste de mes… comment dit-on *fitness traits*, en français, tu sais ?

Elle bat des cils.

— Tes attributs virils ? Dans tes rêves !

— Eh oui ! Les hommes aussi rêvent. Enfin, moi, je rêve beaucoup.

Elle secoue la tête et passe la main dans mes cheveux trempés.

— Eh bien, réveille-toi ! En réalité, on débattait pour savoir qui de nous deux allait passer la nuit avec toi la première.

— La première… ? Je suis honoré. Et… Qu'as-tu mis en avant ?

Elle me regarde, entoure mon cou de ses bras, pose sa tête sur mon épaule et murmure :

— J'ai dit que j'avais très, très envie de toi.

Je regarde le plafond.

— *Mmhhh.* Évidemment, c'est un argument de poids. Un point pour toi. Et qu'a-t-elle répondu ?

Elle se hisse sur la pointe des pieds et pose des baisers sur mes paupières.

— Qu'elle t'avait vu la première…

— C'est vrai ! Un partout.

— Mais je lui ai fait remarquer qu'elle a un avantage exorbitant : elle travaille au même étage que toi. Et ça ne serait pas *éthique* de sa part d'en profiter…

Je pousse un petit sifflement admiratif.

— Élégant ! Ça l'a achevée, j'imagine ?

Elle effleure mes lèvres de sa langue mais, quand je cherche à l'embrasser, elle s'écarte et se met à me mordiller le cou.

— Pas vraiment. Elle m'a répondu que, pour passer la journée avec toi, elle n'aurait pas eu besoin de son copain gay !

À présent, elle me grignote le lobe de l'oreille.

— Ouch ! Ça fait mal... Je veux dire... L'argument a dû porter...

— M'en fous. (Elle soupire.) Mais comme on n'avait pas d'autre carte à abattre, il a fallu recourir aux grands moyens.

— Ah oui ? Lesquels ?

Cette fois, elle ne s'arrête pas pour répondre et sa langue fait tout son possible pour me... faire perdre le fil de la conversation. Je l'écarte doucement de moi.

— Dis-moi vite, le suspense est insoutenable !

Vexée, elle me regarde droit dans les yeux.

— On t'a joué à pile ou face !

— Et tu as gagné...

Elle ferme les yeux et secoue doucement la tête.

— Non...

— Tu as perdu !!?

Elle me serre contre elle, caresse mon dos et mes reins, soupire.

— Oui.

— Mais comment...

Elle pose de nouveau ses lèvres sur les miennes.

— Elle n'était pas libre ce soir, alors j'ai proposé de la remplacer.

— De la... Non !

— Si. Je suis sa meilleure copine, tu sais...

— Je vois ! Et elle a accepté sans discuter ?

— *Mmhhh*... Bien sûr.

— Pourquoi ?

Elle déboutonne ma chemisette et glisse les mains contre ma peau.

— Parce qu'elle sait qu'à sa place j'aurais fait la même chose. Quand un homme nous plaît, on ne veut pas que n'importe qui en profite. Y a plein de filles qui essaient un mec comme un pantalon ; quand il ne leur plaît pas, elles le rendent dans un état pas possible... Alors qu'elle ou moi, si tu ne nous plais pas, on te mettra dehors dans l'état où on t'a trouvé – enfin, presque... Et la suivante aura la chance d'en profiter.

Je ne peux pas m'empêcher de rire. Elle en profite pour me faire basculer sur son canapé-lit, s'assied sur mes cuisses, me retire ma chemisette et détache ma ceinture.

— C'est moi qui ai de la chance…

— Parce que je l'ai remplacée ?

— Non, parce que vous avez su régler ça en femmes civilisées.

Elle se redresse, soulève sa robe, la retire d'un geste vif, saisit mes poignets, se couche sur moi, pose son front contre mon épaule et pousse un soupir contrit.

— Il faut que je t'avoue quelque chose.

— Oui… ?

— Je t'ai menti.

— Sur quoi ?

— Sur… l'essentiel…

— Mais encore ?

— Elle ne sait pas que je la remplace.

— Ah… Et… tu vas le lui dire quand ?

— Demain… Peut-être…

Elle se redresse et, lentement, fait danser son sein gauche au-dessus de mes lèvres.

— *Mmhhh*… Est-ce que c'est bien éthique, ça… ?

— *Mmhhh*… Est-ce que tu veux bien te *taire* ?!!

31

Kiss, Kiss, Bang, Bang !

J'aurais dû m'endormir – nous avions fait tout ce qui était possible pour épuiser le désir et trouver le sommeil – mais, au petit matin, je ne dors toujours pas. Je regarde Réjane, couchée sur le ventre, respirer doucement. J'essaie de réfléchir à toute cette histoire. Mais j'ai aussi envie de caresser son dos et ses épaules. Seulement, chaque fois que je l'ai fait, plus tôt dans la nuit, elle s'est réveillée. Et m'a empêché de réfléchir...

D'une manière ou d'une autre, tout ce que j'ai vu, lu, entendu, deviné, observé depuis mon arrivée me semble lié, par des fils invisibles, à la disparition de Kathleen Cheechoo trois ans plus tôt. Tout, depuis les confidences des uns et des autres, jusqu'aux détails les plus ténus – les photos de Kathleen et Owen, les yeux de Joshua, la poussette-canne de Lucie-Anne, le nœud papillon de Hugh, la salopette bleue d'Hypathie, la barrette dans les cheveux mouillés de Réjane – en passant par les agressions d'itinérants.

Mais si tout est lié, qui a tendu la trame et serré les nœuds ?

Je suis couché sur le côté, je regarde Réjane dormir, je me rappelle que je ne sais rien d'elle – sinon ce désir qui a couvé depuis deux jours, et qui est entré en éruption cette nuit – et je me rends compte que ça m'est complètement égal. Que dit la chanson de Léo Ferré ? *Ce que tu es, c'est bien, puisque je t'aime*... Pour moi, en cet instant, c'est vrai. Je ne veux pas me l'avouer, j'avais oublié que ça pouvait survenir si vite, de manière si imprévue, mais je crois bien que je suis amoureux. Et que je le suis depuis le premier soir, quand je l'ai vue danser à ne pas en croire mes yeux.

Et ce sentiment m'a pris par surprise. Je ne suis pas venu ici pour tomber amoureux. Ni pour enquêter sur une affaire criminelle. Et certainement pas pour agiter les fantômes de cette grande famille improbable, avec chassés-croisés amoureux, enfants illégitimes, incompréhensions, non-dits, probables mensonges et souffrances inévitables.

Et pourtant je m'y suis plongé. Jusqu'au cou. Et si je ne veux pas me noyer, il faut que je comprenne où le tourbillon m'entraîne.

Le plus drôle, c'est que je suis à Montréal depuis... *quatre jours* !

J'ai chaud, j'écarte le drap, je me tourne et je sens quelque chose entre mon dos et le lit. Je glisse ma main sous mon omoplate. Quelque chose y est collé. Sans bruit, je me lève, je fais trois pas vers la minuscule salle de bains, je referme la porte, j'allume.

Quelqu'un a pansé ma plaie.

Quelqu'un.

J'ai dû m'endormir. Et, pendant que je dormais, Réjane m'a refait un pansement, au carré, impeccable. Comme le rangement de son appartement.

Une femme d'ordre...

Je retourne m'allonger près d'elle. Elle n'a pas bougé. Je caresse sa main du bout de mon index. Ses doigts se referment sur mon doigt. Elle dort toujours.

Couché en chien de fusil, la tête calée contre un oreiller, je fais le point.

Owen m'a confié une mission que, d'une certaine manière, j'ai remplie, mais je ne peux ni m'en féliciter (Joshua m'a tout dit sans que je le lui demande), ni en rendre compte. Je ne peux rien transmettre au père de ce que m'a dit son fils. Mais je dois, au moins, retourner le voir et, sinon lui expliquer, du moins reconnaître mon échec.

De son côté, Joshua m'a fait part d'agissements inquiétants au sein du foyer de la rue Ferron. Il m'en a fait part en confidence. Je ne peux pas, évidemment, en parler à Hugh ou à Leonard, bien qu'ils soient parties prenantes. Mais je peux au moins enquêter de mon côté. En interrogeant Malvina Hébert, par exemple. Elle connaît bien ce milieu.

Je peux aussi...

Depuis tout à l'heure, j'entends un bourdonnement.

Je me lève sans bruit, je m'approche du bureau de Réjane. Son ordinateur ronronne. Elle a dû l'allumer cette nuit.

Je déplace la souris. L'écran s'éclaire et affiche un article de quotidien en ligne.

La Presse, Montréal, 24 mai 2010

CINQ FAMILLES PORTENT PLAINTE
CONTRE LE FABRICANT DU REPARAM°,
UN MÉDICAMENT ANTIPSYCHOTIQUE.

Cinq familles portent plainte contre le laboratoire WOPharma à la suite d'événements tragiques survenus chez des patients traités par le Reparam° (crapilopram), un antipsychotique prescrit aux personnes souffrant de schizophrénie et d'autres formes de psychose. Ce produit, mis sur le marché en 2007, aurait entraîné chez ces patients des comportements violents qui se sont traduits dans deux cas par le suicide du patient, dans les trois autres par des agressions contre des personnes de leur entourage ou contre des passants. L'avocat des familles a déposé devant le tribunal un mémoire accablant, fondé sur le témoignage de deux médecins ayant testé le Reparam° avant sa mise sur le marché. Le fabricant aurait, semble-t-il, caché aux autorités sanitaires la survenue des effets secondaires graves, pourtant dûment observés et documentés par les essais cliniques préliminaires du médicament...

Je lève les yeux de l'écran. Réjane est debout devant moi.

— Je suis désolé, dis-je, je ne cherchais pas à être indiscret...

— C'est correct, je l'ai affiché pour que tu le lises.

Elle se glisse derrière moi, m'entoure de ses bras. Je tourne la tête pour poser un baiser sur sa joue.

— Merci.

— Pourquoi ?

— De m'avoir soigné...

Elle prend une toute petite voix.

— Ton pansement était tout fripé. Je dormais pas, je m'ennuyais, je voulais pas te réveiller avant que tu aies repris des forces, je me suis occupée...

— Tu fais souvent des pansements ?

— Non, mais j'ai appris. Dans ma *job*, ça peut être utile...

— *Mmhhh...*

Je sens qu'elle sourit.

— Un jour, je te dirai ce que je fais. Mais pas tout de suite... Ça me gène encore.

— Okay. Quand tu voudras. Je sais déjà que t'es pas une tueuse en série.

Elle éclate de rire.

— Comment t'sais ça ?

— Eh bien, je suis toujours vivant...

— Mais les tueuses en série ne tuent pas leur victime immédiatement. Elles en abusent parfois *mmm* longtemps...

— Ah ? Je me sens pas vraiment abusé, là. Si tu vises cette orientation professionnelle, va falloir prendre une session de rattrapage.

— *Crisse*. Je savais que quelque chose collait pas...

Elle désigne la page affichée sur l'écran.

— Tu as entendu parler de ça ?

— Oui. Je fais partie d'un réseau indépendant d'information sur les médicaments. On connaît les effets secondaires parfois mortels des antidépresseurs depuis longtemps, et le réseau alimente régulièrement les journalistes en informations que l'industrie enterre ou refuse de laisser publier.

— Les accidents sont nombreux ?

— Oui. Par surconsommation. Les dépressions graves sont traitées pour éviter les suicides, et *tous* les antidépresseurs augmentent le risque de suicide. Le problème, c'est qu'on en prescrit à un nombre croissant de patients, même des enfants, qui ne souffrent pas du tout de dépression grave, mais de syndromes dépressifs modérés, après un événement de la vie – un accident, une maladie, le chômage. Ces dépressions-là sont bénignes, elles guérissent seules, grâce au soutien de l'entourage et éventuellement d'un psychothérapeute. Et l'immense majorité des enfants qu'on met sous antidépresseurs ou sous psychotropes pour une prétendue hyperactivité n'en ont pas besoin ! Mais le marketing industriel influence puissamment les médecins, qui prescrivent en dépit du bon sens. Alors il y a plus d'accidents que de suicides par dépression. Et certains produits, comme le Reparam°, provoquent aussi des comportements violents chez des personnes prédispo... Mais pourquoi voulais-tu me montrer cet article ?

— Parce que j'ai lu les mots antipsychotiques et schizophrénie et j'ai vu ce dessin.

Elle désigne le logo de WOPharma.

— L'autre soir, la représentante de la Société canadienne d'éducation des patients portait une *pin* au revers de son imperméable. Avec le même logo.

— Ça ne m'étonne pas ! Sa boîte est un organisme monté de toutes pièces par WOPharma pour désinformer les usagers et, si possible, les enrôler dans des essais clin... *Putain de bordel de merde !*

— Quoi ?

Je me retourne et je la regarde.

— C'est pour ça qu'elle était là ! Elle fait recruter les pensionnaires du foyer pour des essais de médicaments !

— Des itinérants ? Mais pourquoi ?

— La moitié, si ce n'est pas les deux tiers, des gens qui vivent dans la rue ont des troubles mentaux. Quand ce n'est pas un des facteurs de leur désinsertion, c'est la conséquence de la vie dans la rue, de la malnutrition, des maladies chroniques, de l'exposition à la drogue ou à l'alcool. Quand ils sont à la rue, bien sûr, pas question de leur faire boulotter des médocs, mais lorsqu'ils entrent dans un foyer et en acceptent les règles, ils sont pris en charge par une équipe médico... Bon Dieu ! – *Que je suis con ! C'est* ça *que l'un des pensionnaires a confié à Joshua ! Qui est mieux placé qu'un médecin pour proposer à un pauvre bougre un essai clandestin en lui interdisant d'en parler à quiconque ?* – il faut absolument que je prévienne...

— Que tu préviennes qui ?

— Je suis désolé, c'est... confidentiel, tu comprends ?

— Bien sûr, mais est-ce que je peux t'aider ?

— Quelle heure est-il ?

— 7 h 40...

Je regarde autour de moi.

— J'ai besoin de téléphoner...

— Je n'ai pas de téléphone, dit Réjane. (Elle fouille dans son sac, sous la pile de vêtements entassés au pied du lit.) Tiens, prends mon cellulaire, dit-elle en s'éclipsant dans la salle de bains.

Au foyer de la rue Ferron, on me répond que Joshua n'est pas rentré hier soir.

Damn ! Où peut-il être ?

Pris d'angoisse, je compose le numéro de téléphone d'Owen La Chance.

Je laisse sonner quinze, vingt fois, mais personne ne répond. L'appel n'est même pas détourné sur une boîte vocale.

Je suis debout, nu comme un ver, tremblant d'inquiétude, au milieu du studio. Réjane, qui s'est douchée en un clin d'œil, me regarde à présent avec un calme surprenant.

— Habille-toi, dit-elle doucement.

— Pour... pourquoi ?

— Tu as besoin d'aller quelque part ?

— Oui ! Il faut que je retourne rue Ferron. Il faut que j'aille... parler à Owen.

Elle me pousse vers la salle de bains.

— Prends cinq minutes pour te doucher, habille-toi et je t'emmène.

Lorsque je sors de la salle de bains, elle a déjà ses clés de voiture à la main. En jean, débardeur, blouson et godillots, on dirait Sarah Connor dans *Terminator 2*. Je la suis hors de l'appartement et dans l'escalier.

— J'ai l'impression que tu es deux femmes en une, dis-je en montant en voiture.

Elle sourit sans répondre, démarre, sort sa bagnole du garage et la lance dans les rues de Montréal comme Schwartzy dans *Last Action Hero*.

Lorsqu'elle freine devant le 3440, je vois tout de suite que quelque chose ne va pas. Je bondis hors de la voiture et en haut des marches. Je mets la main sur la porte, qui cède sans effort.

— N'entre pas ! me crie Réjane.

Je me retourne, elle m'a déjà rejoint. Elle pose la main sur mon bras, m'écarte fermement, pousse la porte du bout de son godillot, jette un œil à l'intérieur, appelle :

— Hallo ! Monsieur La Chance ? Madame Leclerc ? Allez-vous bien ?

Aucune réponse. Elle sonne plusieurs fois, écoute si quelqu'un vient. Pas le moindre bruit.

Elle me regarde, avale sa salive, sort un badge de son blouson.

— Monsieur, je suis la sergente-détective Réjane Lalumière, du Service de police de la ville de Montréal. Avez-vous des raisons de croire qu'un crime a eu lieu ou est en cours dans ce logement ?

Son visage est crispé mais ses yeux me disent quelque chose comme : « M'en veux pas, je regrette que ça se passe comme ça mais il y a une tabarnac de procédure à suivre, s'il s'est passé quelque chose ici et si on la suit pas on risque de tout foutre en l'air » – tout ça, je l'écris aujourd'hui avec mes mots, pas les siens, ni ses intonations que je ne peux évidemment pas rendre à l'écrit mais qu'enfin je devine : elle n'est pas la première femme-flic que je fréquente sur un plan professionnel – il y en a de très bonnes à Tourmens – et puis, j'ai beau être surpris, je n'arrive pas à lui en vouloir, même si elle est la première avec qui je passe une nuit de garde à vue à l'horizontale et qui me dévoile sa face cachée une heure après que...

Une femme d'ordre...

Je souris bêtement.

— Eh, mais, vous tombez bien ! J'allais justement vous appeler...

32

The Naked and the Dead

Réjane s'avance précautionneusement, brandissant devant elle son arme de service, bras tendus, index relâché – comme dans les films.

— Ne touche à rien, tu veux ?

— Oui, madame la sergente-détective...

Elle pénètre dans le salon. La pièce a été dévastée. On dirait que quelqu'un est entré avec une massue et a tout cassé sur son passage. Des meubles ont été renversés, des cadres et des objets gisent, brisés, sur le sol.

Je désigne l'autre côté du couloir.

— Le bureau d'Owen.

Elle y entre et pousse un soupir navré.

— Misère...

Owen La Chance est étendu entre la table basse et le canapé de son bureau. Et il geint. Je me précipite vers lui.

— Attends ! s'écrie-t-elle en me retenant par le bras.

— Je suis médecin ! Et je travaille pour les flics depuis des années !

— Mais tu n'as pas d'autorité, ici !

— Non, mais il est vivant, il faut qu'on l'aide, et tu es là pour surveiller chacun de mes gestes.

— Oui, mais je veux pas avoir à faire un rapport sur toi. Tu es mon *chum* !

— Nous n'avons pas le choix. Jusqu'à nouvel ordre, je ne suis plus ton *chum*, je suis un témoin.

Elle me fait une moue contrite. Elle sait que j'ai raison.

Je lui plante un baiser sur les lèvres.

— Et je suis ravi de t'avoir comme alibi... Mais faut que je m'occupe de lui !

Elle sort d'une poche de son blouson des gants en polyvinyle.

— Bon, mais alors mets ça !

— Aide-moi à écarter la table !

J'examine le vieil homme avec précaution. Il a le visage ensanglanté et une plaie monstrueuse à la tempe gauche. Sa respiration est superficielle, son pouls très rapide.

— Il est mal en point. Je pense qu'il a une fracture du crâne...

Réjane a déjà composé le numéro d'appel des secours.

— Reste avec lui, je vais faire le tour des autres pièces.

— Okay... Sois prudente !

Elle lève les bras au ciel.

— Quand t'es plus mon *chum*, t'es ma mère ?

*

Quelques minutes plus tard, un camion jaune se gare devant l'appartement. Deux ambulanciers en uniforme, leur équipement à la main, montent s'affairer auprès d'Owen La Chance, lui posent une perfusion et le sanglent précautionneusement sur un brancard.

Une voiture de patrouille bleu et blanc est arrivée un peu avant l'ambulance. Après que Réjane lui a parlé, l'un des officiers en tenue, un colosse au visage d'enfant portant des lunettes solaires, recueille mon témoignage devant l'appartement, au bas des marches, tandis que sa collègue, une grande blonde aux cheveux noués derrière la nuque, déroule un ruban jaune devant l'entrée. J'explique que je suis locataire au 3422, que je suis venu voir Owen, que j'ai trouvé la porte ouverte…

— Et vous avez fait appel à la sergente-détective Lalumière, qui… passait par là, et qui a examiné les lieux à votre demande.

— Euh… C'est ça…

— Très bien, dit-il de manière définitive en tapant la pointe de son stylo sur son calepin. Avez-vous un numéro de téléphone pour vous joindre ?

Je lui donne celui du bureau.

— Je vais vous laisser ma carte, appelez-moi si vous avez d'autres informations ou en cas de… nécessité.

Il sort une carte de visite, gribouille quelque chose au dos et la glisse dans la poche de ma chemisette avec un sourire de chat.

De l'autre côté de la rue, je vois un bras sortir du néant.

— Qu'est-ce qui se passe, là-bas ?

Un homme émerge d'un des bosquets du parc Duplantie. Il a les cheveux longs et sales, il porte des vêtements maculés. Il titube dans l'autre direction.

L'officier en tenue se précipite puis s'arrête brusquement à quelques mètres de l'homme.

— Monsieur, s'il vous plaît…

L'homme se retourne. Il tient une batte de baseball ensanglantée dans la main droite.

— Qu'est-ce tu m'veux, toi ?

Il parle comme un homme ivre et oscille sur ses pieds comme s'il allait tomber.

— Monsieur, posez la batte, s'il vous plaît !

L'homme brandit maladroitement la batte d'une main. Son autre bras pend le long de son corps, inerte.

— Qu'est-ce tu m'veux, *tabarnac ? Laisse-moé donc tranquille !*

Le policier décroche de sa ceinture un objet rectangulaire. Un *tazer.* Il se met à crier.

— Monsieur, s'il vous plaît, posez la batte !!!

— Gerry !

Surpris, le policier se retourne vers moi. Gerry s'immobilise et me regarde.

— Qui t'es, *toé* ? D'où tu m'connais ?

— Écartez-vous, monsieur, me dit le policier.

— Je le connais, laissez-moi lui parler. Vous voulez ? Il ne me fera rien, je suis médecin, je l'ai soigné.

Il hoche la tête, à moitié rassuré seulement.

— Gerry, c'est moi qui t'ai recousu l'autre soir, sur Mont-Royal. Dans le camion de « La nuit dans la rue ». Avec Malvina. Tu te souviens ?

— Qu'est-ce tu... Le docteur ? Ah, oui, je m'souviens !

Il soulève difficilement sa main jusqu'à son front.

— J'ai pas eu mal. T'as bien travaillé...

La batte lui échappe. Il la regarde, hébété, rouler sur le sol. Je la ramasse lentement, je la tends au policier et je prends Gerry par le bras.

— Viens, Gerry. Viens t'asseoir.

Je le conduis vers le banc le plus proche. Il a les mains couvertes de sang, et il est incapable de fléchir son bras gauche.

— Il a besoin d'une ambulance, lui aussi.

La collègue du flic en tenue nous a rejoints. Elle a enfilé des gants et nous montre des sacs-poubelles troués aux deux extrémités.

— Je les ai trouvés dans le buisson.

Elle les déplie. Il y en a cinq. Un pour le corps, les quatre autres pour les membres. Un imperméable de fortune comme j'en ai vu sur un habitant de la rue, l'autre nuit.

— Il avait dû les enfiler pour se protéger de la pluie...

Elle ouvre la main ; son gant blanc est taché de rouge.

— Il a plu du sang, cette nuit ?

*

Avant qu'une deuxième équipe d'ambulanciers n'ait eu le temps d'arriver, Gerry perd connaissance et se met à convulser. Je l'allonge sur le sol du parc, je le tourne sur le côté pour éviter qu'il s'étouffe s'il se met à vomir, je lui soutiens la tête et j'attends. Il convulse sans interruption pendant plusieurs minutes. Lorsque les ambulanciers arrivent et lui font enfin une injection d'anticonvulsivant, ses tremblements cessent, son corps se détend, sa vessie se vide.

Quand on l'emmène, inconscient, vers l'hôpital Notre-Dame tout proche, Réjane sort de l'appartement tandis que des hommes et des femmes en combinaison gravissent les marches, de grandes valises métalliques à la main.

— La brigade scientifique est déjà là ?

— Ici on dit l'identification judiciaire. C'est un crime majeur, dit Réjane. Owen La Chance est quelqu'un de très connu.

— Est-ce qu'il y a des dégâts dans les autres pièces ?

— Non, répond Réjane, seulement dans le salon et le bureau.

— Ça ne te paraît pas bizarre, cette destruction sélective, pour un itinérant pris de folie meurtrière ?

— Tu penses que Gerry n'a pas agressé Owen ?

— Je suis certain que ce n'est pas lui.

— Pourquoi ?

— Il n'était pas en état.

— Même s'il a pris des médicaments ?

— Surtout s'il a pris des médicaments. Il vient de convulser dans mes bras, ça évoque une overdose médicamenteuse, une interaction entre médicaments et alcool, un delirium tremens, peu importe, mais ça n'a pas commencé ce matin. S'il était incapable de tenir debout quand nous sommes arrivés, il était incapable d'utiliser cette batte pour tout casser et assommer Owen au cours des heures précédentes. À mon avis, il a passé la nuit à convulser dans ce bosquet.

— Et le sang sur les sacs-poubelles ?

Je la regarde.

— Réfléchis une minute… Pourquoi ne les portait-il pas ? Il tombait des cordes, cette nuit !

— Parce qu'il les a enlevés ce matin… Non, reconnaît-elle, c'est idiot. S'il avait été pris de folie au point de tout casser chez Owen, il ne serait pas donné la peine de les retirer après l'agression pour aller ensuite se coucher dans ce bosquet. Donc…

— Donc ces trucs ont été enfilés par quelqu'un d'autre, qui savait très bien ce qu'il faisait, qui ne voulait pas se salir et qui les a ensuite jetés près de Gerry, et lui a collé la batte de base-ball dans les mains.

— L'agresseur a profité de la présence de Gerry pour lui faire endosser l'agression ?

— Je pense que c'est pire que ça : il savait que Gerry s'abrite dans ce parc. Je l'ai vu ici le jour où je suis arrivé. Il ramassait des canettes. J'étais assis sur ce…

Une nausée sourde me monte à la gorge.

— Réjane…

— Quoi ?

— Joshua n'était pas au foyer hier soir et ce matin. Où sont Alice et Julie ?

33

Raffles

Je suis debout dans le parc Duplantie, face à l'appartement des La Chance, les mains dans les poches, le soleil sur la nuque, et je revois toute la matinée comme un film en accéléré. Les ambulanciers s'agitent autour des deux blessés, les enfournent dans leurs camions et décollent. Les experts de l'identification judiciaire en combinaison gravissent les marches comme des astronautes, leurs valises à la main, et je les imagine sautant d'une pièce à l'autre en faisant de petits bonds, comme Armstrong sur la Lune, passant leur poudre sur les portes et les plinthes, empaquetant les débris, prenant des notes soigneuses sur les petits sacs en papier ou en plastique...

Et je cherche à me remémorer ce que j'ai vu dans le bureau, pendant que, penché sur le corps brisé d'Owen, j'attendais l'arrivée de l'ambulance.

Qu'est-ce que j'ai vu pendant les quelques minutes où Réjane explorait les autres pièces de l'appartement ? La batte de base-ball s'était acharnée sur les photos au mur... mais pas sur toutes. L'agresseur avait pulvérisé les portraits d'Owen, seul ou avec son fils. Il avait épargné toutes les photos sur lesquelles figurait Kathleen.

Damn, damn, damn, où est Joshua ?

Je donnerais le peu que j'ai pour savoir où il est parti, où se trouvent Julie et leur fille… et pour être sûr qu'il n'a rien à voir avec ce nouveau drame, qui m'apparaît furieusement – en pire, en bien pire – comme une répétition de ce qu'il a fait il y a trois ans.

Le film s'accélère encore, les policiers s'en vont, l'un d'eux met des scellés sur la porte, tend une bande jaune en travers de l'escalier et je vois Réjane s'approcher de moi au ralenti, le visage crispé, elle me tend le sac à dos que j'ai laissé dans sa voiture, regarde autour d'elle et me dit :

— Il faut que j'y aille. Tu n'as pas de cellulaire, toi…

— Non…

— Tu m'appelles ?

— Oui. Si tu me donnes ton numéro…

Je lui tends un stylo. Elle prend ma main, inscrit son numéro dans ma paume et pose un baiser par-dessus.

Et puis le film s'accélère de nouveau, Réjane regagne sa voiture et s'en va et je suis là, debout, de nouveau, dans le parc.

*

Je n'ai pas la force d'aller au CRIE, je ne me vois pas annoncer cette catastrophe à Jennie et aux autres… Un manque de courage, sans doute, mais aussi un sentiment accru de honte, comme si, en annonçant le drame, j'avouais en être l'auteur, ou le complice.

Ce sentiment de culpabilité, de complicité malgré moi, découle, je le sais, de l'accumulation rapide de tous ces événements. Mais je ne peux pas m'empêcher de penser que j'ai trahi Owen en ne l'appelant pas pour lui dire que son fils voulait le revoir… et la pensée que j'ai peut-être, d'une manière ou d'une autre, par action ou par omission, favorisé l'agression de cette nuit me fait un mal de chien.

Sans savoir où je vais, je m'avance vers la rue, et je me rappelle que Réjane a posé mon sac par terre. Je me penche pour le ramasser et quelque chose glisse de la poche de ma chemisette.

C'est la carte que m'a donnée le grand flic aux lunettes noires.

D'un côté, je lis le numéro de téléphone à préfixe 1-800 qu'il a inscrit sous mes yeux. De l'autre, je ne lis pas l'identité du policier, comme je m'y attendais, mais une phrase tracée d'une écriture familière. Inimitable. Elle dit : « Appelle dès que possible. Demande Monsieur Lenormand. » Et elle est signée d'un R majuscule.

*

J'entre comme un fou au *Disco Volante.* Don rend la monnaie à un type en dreadlocks qui enfourne quatre douzaines de CD de reggae dans un sac en plastique. Quand le client s'écarte enfin, je mets la carte sous le nez de Don.

— Qu'est-ce que tu lis, là ?

— *Whoa, man, what's eating you ?*

— Qu'est-ce que tu lis sur cette carte ?

Il lit la même chose que moi.

— Comment tu expliques qu'un flic de Montréal m'ait remis ça ?

— Ben, c'est *standard* de laisser sa carte...

— Mais ce n'est pas lui qui a écrit ça, cette phrase !

— Que veux-tu dire ?

— Celui qui a écrit ça est à des milliers de kilomètres d'ici, et il ne devrait plus être capable d'écrire. Du tout.

Don sort de son comptoir, se dirige vers la porte de sa boutique, la verrouille et tourne la pancarte « Fermé » vers la rue.

— Explique-toi.

Je lui dis ce que je sais de Raoul, de son réseau d'influence, de ses contacts dans tous les pays, de sa maladie d'Alzheimer. De l'amitié ancienne qui m'a valu d'être logé chez Owen.

Il tourne la carte entre ses mains.

— Tu es sûr que l'écriture est celle de Raoul ?

— Je ne connais personne d'autre qui fasse les pleins et les déliés comme en 1920.

— *Hey*, j'y pense, quand j'avais dix ans, je lisais les aventures de Raffles, le gentleman-voleur... Ton Raoul, là... c'est quelqu'un dans ce genre ?

— Son père était un homme dans ce genre. Comme Owen, Raoul a repris les affaires de son père. En les... moralisant. Enfin, j'espère...

Il hoche la tête avec une moue d'appréciation.

— *I see !* Alors je ne vois qu'une chose à faire...

Il sort un téléphone de sous son comptoir, le pose devant moi et s'éclipse dans son arrière-boutique.

À l'autre bout du fil, j'entends une voix féminine.

— Que puis-je faire pour vous, monsieur Lhombre ?

Quoi ?

— Je... voudrais parler à M. Lenormand. De la part de...

— Ne quittez pas, je vous le passe.

J'attends quelques secondes, j'entends une autre sonnerie et une voix familière.

— Comment vas-tu, toubib ?

C'est la voix des grands jours, celle du vieillard fringant qui enquêtait il y a cinq ans encore, au volant de sa Torpédo, sur la disparition d'une présentatrice de télévision[1]. C'est la voix moqueuse et chaleureuse

1. Cette histoire est racontée dans *Camisoles*, Fleuve Noir, 2006.

que j'ai souvent entendue avant qu'on diagnostique sa maladie d'Alzheimer.

— Raoul ? Mais comment...

— C'est un peu long à t'expliquer. Disons que pour avoir la paix, il faut parfois lâcher les amarres... ou laisser croire qu'on les a lâchées... Je t'en dirai plus une autre fois. Mais souviens-toi de ce que je t'ai dit, le jour de notre départ, à Lermignat. Tu m'as bien soigné, ces dernières années, et je ne suis pas un ingrat. Si tu veux éclaircir cette triste affaire avant que ce pauvre Owen...

— Pour Owen, vous savez ?

— Oui, il a une fracture du crâne et un hématome. Le chirurgien l'a opéré pour soulager la pression à l'intérieur de son crâne, mais ce n'est qu'un répit. Il a des métastases diffuses de son cancer.

Comment ce diable d'homme peut-il savoir tout ça ? Il connaît des flics, des médecins... et qui encore ? Et il lit dans leur tête, ou quoi ?

— Vous savez qui a fait ça ?

— J'ai ma petite idée mais je ne peux pas te la dire. C'est à toi de trouver. Je peux t'aider, mais je ne peux pas intervenir. Ce ne serait pas...

— Éthique ? dis-je ironiquement.

— Non, répond-il en riant, ce ne serait pas fair play. Alors, dis-moi, de quoi as-tu besoin ?

Je réfléchis un long moment, et je réponds :

— J'ai besoin d'accéder à la base de données de la police de Montréal et à celle du coroner. C'est possible ?

— Tu plaisantes ? Surveille ta boîte courriel, tu auras ça dans l'heure. Rien d'autre ?

— Non, je vais me débrouiller...

— J'en suis sûr ! Si tu as besoin d'autre chose, tu sais comment me joindre.

— Raoul...

— Oui ?

— Jean et Claude, comment vont-ils ?

— Très, très bien ! À cette époque-ci de l'année, le climat de Bali est divin. Je te quitte, j'ai à faire. Bonne chance, toubib.

La ligne se met à grésiller.

34

Déjà Vu

Comme je suis trop angoissé pour faire quoi que ce soit, je me mets à parler tout seul. Excédé de m'entendre radoter et tourner en rond, Don me colle devant plusieurs centaines de DVD qu'il vient d'acheter à un soldeur et me somme de leur coller des étiquettes de prix avant de les ranger par ordre alphabétique de titre, dans les étagères appropriées. Je me calme en me concentrant là-dessus. Au moins, j'ai le sentiment de me rendre utile... À 18 heures, il m'envoie boire un café dans le 4 ½ qu'il occupe au-dessus de la boutique. Machinalement, je fais ce que je n'ai pas encore fait une seule fois depuis mon arrivée à Montréal : j'allume la télé et je pitonne à la recherche d'un bulletin d'informations.

Apparemment, RDI, la chaîne d'infos permanentes de Radio-Canada, a déjà annoncé l'agression dont Owen a été victime. Mais à 18 h 15, sur le plateau de la chaîne, Jennie Chen, visiblement éprouvée, résume la carrière de la victime, explique l'importance de la fondation dans la genèse du CRIE et le financement du foyer d'hébergement de la rue Ferron et exprime son incompréhension devant le drame. Le présentateur lui demande si elle pense que cette agression est liée à l'assassinat de Kathleen Cheechoo, survenue trois ans plus tôt ; avant que Jennie puisse répondre, il pose un doigt sur son oreillette, explique que la correspondante au quartier général de la police est en ligne, et lui passe la parole.

Sur la moitié gauche de l'écran apparaissent deux femmes. La première regarde la caméra, un micro à la main.

— Ici Guylaine Tremblay, j'ai devant moi la sergente-détective Réjane Lalumière, arrivée la première sur les lieux après avoir été appelée par un témoin. Que pouvez-vous nous dire de cette agression, madame Lalumière ?

— Eh bien, l'enquête ne fait que commencer, nous avons déjà procédé au relevé des éléments matériels et nous avons transféré à l'hôpital, juste après M. La Chance, une personne itinérante présente non loin du lieu de l'agression mais dont l'état est trop préoccupant pour qu'elle soit interrogée.

— Est-ce que cette personne est suspecte ?

— Pour le moment, c'est un simple témoin.

— Quelles pistes privilégiez-vous ?

— Pour le moment, aucune en particulier. Mais nous cherchons à localiser les deux personnes qui vivent sous le même toit que M. La Chance : Mme Julie Leclerc et sa petite fille Alice, âgée de trois ans. Elles n'étaient pas présentes sur les lieux au moment où nous sommes arrivés ; nous aimerions qu'elles prennent contact avec la police de Montréal.

Une photo de Julie tenant Alice dans ses bras s'affiche dans un coin de l'écran, ainsi qu'un numéro.

Sans sourciller, Réjane ajoute :

— Nous voudrions aussi entrer en contact avec M. Joshua La Chance, le fils de la victime. S'il regarde cette émission, ou si vous le connaissez, merci de téléphoner au numéro qui s'affiche sur votre écran. C'est extrêmement urgent.

— Pensez-vous que l'agression de ce matin est liée à l'assassinat non élucidé de Mme Kathleen Cheechoo, en 2007, à quelques pas d'ici ?

— Je ne peux rien dire à ce sujet. Pour le moment, rien n'indique que les deux affaires sont liées.

— Merci, madame Lalumière... C'était Guylaine Tremblay pour RDI.

*

— Ça sent mauvais, dis-je en éteignant le poste. S'ils recherchent Joshua, c'est parce qu'ils le soupçonnent d'être mêlé à l'agression de son père.

— Et qu'en penses-tu ? demande Don, qui m'a rejoint.

— Je n'imagine pas une seule seconde Joshua allant chez son père pour l'agresser. Celui qui a fait ça avait tout prévu : la batte de base-ball, les sacs-poubelles, la présence de Gerry. C'était prémédité.

— Et ça ne peut pas être Joshua ?

— Pour quelle raison ? Il avait l'air profondément angoissé de savoir son père malade quand je l'ai vu.

— Okay, alors, où est-il ? Et Julie et leur fille ?

— Je n'en sais rien, c'est incompréhensible. Ce qui m'inquiète, c'est ce que ça donne à croire – à savoir : que Joshua a agressé Owen et a enlevé Julie et Alice avec lui.

— Et toi, tu n'y crois pas.

— Pas une seconde ! J'ai vu Joshua, je l'ai entendu. Je sais qu'il n'a pas fait ça.

— Tu sais dire à coup sûr si quelqu'un va ou non commettre un crime ? Tu peux le lire dans ses yeux ?

— Non.... Mais il y a des choses qu'on sent. Je ne connaissais pas Joshua il y a trois ans, mais l'homme qui m'a parlé hier était en quête de réparation, pas de vengeance. Il n'était ni en colère, ni prêt à commettre un crime et faire accuser quelqu'un à sa place ! Alors je ne crois pas une seule seconde à sa culpabilité. J'espère qu'ils ne sont pas en danger, tous les trois...

Je me remets à tourner en rond autour de la pièce.

— Bon, je t'ai assez vu, dit Don. Rentre chez toi.

— J'aimerais... J'aimerais appeler Réjane. Ou qu'elle puisse m'appeler. Mais rue Ferron, je n'ai pas le téléphone.

— Tiens, dit-il en sortant son cellulaire. Viens me le rendre demain. Et si un de mes copains appelle pour sortir en boîte, dis-lui que je suis déjà pris. Une soirée de lecture ne me fera pas de mal. *Now, beat it* !

*

Sur Mont-Royal, en marchant vers l'arrêt du 97, j'aperçois le camion de « La nuit dans la rue ». Plusieurs personnes attendent qu'on les serve. Ce soir, ce n'est pas Malvina qui leur tend des plats...

Et tiens, d'ailleurs, je ne l'ai pas vue hier après-midi, au parc Lafontaine. Samedi après sa lecture, je l'ai pourtant entendue dire qu'elle y serait...

Je fais quelques pas et je m'arrête. Malvina est une amie de Julie. Elle la connaît suffisamment pour qu'Owen et elle lui aient confié la clé de mon appartement. Elle peut savoir où se trouvent Julie et Alice. Elle est même peut-être avec elles. Je pourrais l'appeler...

Elle m'a donné son numéro de cellulaire l'autre matin, au CRIE, je me rappelle l'avoir noté sur un bout de papier et l'avoir laissé sur mon bureau, près du téléphone.

Je regarde ma montre. Il n'est que 20 heures. Je peux aller au CRIE, appeler Malvina et... commencer à jeter un œil aux bases de données : le Mac sera plus confortable que l'écran de mon portable, et je ne veux pas travailler sur l'ordinateur de Kathleen...

Je rebrousse chemin jusqu'au métro.

*

Vingt-cinq minutes plus tard, je gravis les cinq étages et j'entre au CRIE.

Le numéro de téléphone de Malvina est bien sur mon bureau. Je compose son numéro et je tombe sur une boîte vocale. Je préfère ne pas laisser de message. Je réessaierai plus tard.

Dans ma boîte courriel, un message intitulé « De la part de M. Lenormand » m'attend. Il m'indique deux liens Internet et deux codes d'accès.

Je me rends d'abord sur le site réservé de la police de Montréal et je recherche le dossier d'Éric Allard, l'itinérant décédé le soir de mon arrivée, et ceux des trois hommes agressés dans la rue, il y a quelques nuits. Ce sont des dossiers récents, le nom des victimes figurait dans le journal, je les retrouve rapidement. Je m'intéresse surtout à leur bilan sanguin et à la recherche d'alcool et de stupéfiants. C'est bien ce que je pensais. L'analyse a isolé dans le sang de tous ces hommes une même substance, encore non identifiée. Je suis prêt à mettre ma main à couper qu'il s'agit d'un produit WOPharma. Je vais suggérer à Réjane d'orienter leur service d'identification judiciaire dans cette direction.

Ensuite, je consulte les photos prises par la police au 3422 rue Ferron, il y a trois ans. Les clichés montrent le cadavre de Kathleen étendu sur le sol et, près d'elle, le livre qu'elle tenait peut-être à la main juste avant d'être assassinée. Ce livre a un aspect caractéristique et je le reconnais immédiatement. D'autres livres presque identiques sont rangés, à portée de main, sur une des étagères qui encadrent le bureau.

Puis j'accède au site du coroner et j'y cherche le dossier d'autopsie de Kathleen Cheechoo. Je voulais savoir quelles ont été les circonstances exactes de sa mort ; le rapport du légiste me l'apprend, en me donnant une précision surprenante, qui ne figurait pas dans les articles de presse : Kathleeen Cheecho n'a pas été étranglée à mains nues, comme je l'imaginais, mais au moyen d'un ruban ou d'une cordelette qu'on n'a pas retrouvé sur les lieux du crime. Et, d'après le légiste, son agresseur se trouvait derrière elle lorsqu'il l'a assassinée.

Elle le connaissait assez bien pour le laisser entrer et lui tourner le dos sans crainte. Elle ne se sentait pas menacée... Mais étrangler quelqu'un avec une cordelette, ça ressemble moins à un crime d'amour qu'à un crime sadique... Je me suis peut-être fait une idée complètement fausse de cette histoire.

Frustré et abattu par cette pensée, j'éteins l'ordinateur et je décide de rentrer.

En longeant le couloir du département, je sors le cellulaire de Don et je compose de nouveau le numéro de Malvina. Quand il sonne, j'ai la bizarre sensation de l'entendre sonner tout près. J'éloigne le cellulaire de mon oreille. Effectivement, j'entends une sonnerie en écho. La sonnerie se tait. Je recompose, pour m'assurer que je n'ai pas rêvé. Elle retentit de nouveau, derrière la porte d'un des bureaux de doctorants.

Elle a oublié son cellulaire dans son bureau ?

En Amérique du Nord, un bureau dont la porte est close est un bureau verrouillé, ou bien dont l'occupant veut qu'on le laisse tranquille. Sinon, il laisse la porte ouverte.

Je frappe. Pas de réponse. J'essaie, à tout hasard, de tourner la poignée. La porte s'ouvre. Pas de lumière, en dehors de la veilleuse du couloir. J'actionne l'interrupteur. Au fond de la pièce, un corps est affalé sur le ventre, en travers d'un bureau, bras et jambes pendantes.

Je m'approche. C'est Malvina.

Je soulève son poignet pour lui prendre le pouls. Son corps est livide et froid, elle est morte depuis plusieurs heures.

J'ai vu trop de cadavres pour être ému par celui-ci, mais je reste quelques secondes figé près du corps de la jeune femme, et je cherche à retrouver sur son visage boursouflé les traits de celle que j'ai croisée, vivante, plusieurs fois depuis mon arrivée et qui, le jour même de notre rencontre, envisageait sans gêne aucune de passer la nuit avec moi.

J'entends quelqu'un entrer dans la pièce. Je me retourne. Un homme se tient à l'entrée du bureau, les yeux écarquillés. C'est Francisco, le concierge de l'immeuble.

— Qu'est-ce qu'elle a, Mlle Malvina ? Elle est malade ?

— Non, malheureusement, elle est morte…

— *Dios mio !* Il faut appeler la police !

— Oui… Vous voulez bien le faire ?

Il sort un cellulaire d'un étui attaché à sa ceinture. Quand il entend une voix lui répondre, il sort dans le couloir.

Il ne sait pas que je l'entends comme s'il était à moins d'un mètre. Il est bien embêté, il est le *janitor* du 2910 boulevard Édouard-Montpetit pièce 530, il a trouvé un homme penché sur le cadavre d'une étudiante : *Non il n'a pas l'air agressif. Oui je lui demande de rester où il est. Et s'il veut partir ? Je ne m'y oppose pas. Oui ça pourrait être dangereux. Est-ce que je pourrais le reconnaître s'il s'en va ? Oui, bien sûr, je sais qui c'est ! Combien de temps ? Cinq minutes ? D'accord je ne bouge pas je reste là et je m'assure qu'il ne touche à rien.*

J'ai cinq minutes devant moi. C'est bon à savoir Ça suffit pour que j'examine le corps succinctement.

Les lividités sur le ventre, les mains et les chevilles, m'indiquent qu'elle est morte ici, et que son corps a été abandonné sur ce bureau, dans cette position, couché sur son ordinateur portable. Je regarde autour de moi. Pas de traces de lutte. Le sac à dos de Malvina est posé sur le sol, près de son bureau, et je devine que son cellulaire est dedans. J'imagine qu'elle est venue récupérer son ordinateur et que, pendant qu'elle se penchait pour débrancher l'appareil, son assassin en a profité pour se placer derrière elle et l'étrangler.

Avec un crayon, j'écarte les cheveux de son cou. Il porte des marques de strangulation, produites par un lien étroit : une cordelette ou un ruban. Je ne vois rien, ni sur le corps, ni dans la pièce, qui ait pu servir à provoquer ces lésions. Décidément, aujourd'hui, les violences ont un désagréable goût de déjà-vu...

Je parcours la pièce d'un regard circulaire, mais je n'y vois rien de plus à noter.

Et, comme je n'ai rien à faire, j'avise un fauteuil vide à l'autre bout, je m'y installe les bras croisés et j'attends.

35

The Thin Man

Je suis à peine installé que deux policiers en tenue entrent, l'arme au poing. L'un des deux m'interroge brièvement ; je lui résume la situation en deux mots, mais il m'explique que, étant donné les circonstances, il est obligé de m'emmener au poste de quartier le plus proche, pour que j'y sois interrogé plus longuement. Je réponds que je comprends, je précise que je n'ai touché à rien et je le suis sans faire de difficulté. Dans le couloir, je croise Francisco, qui a l'air très embêté. Je lui dis : « Ne vous en faites pas, ça va aller. » Je ne suis pas sûr que ça le rassure. Il risque de ne pas beaucoup dormir cette nuit.

Au poste de quartier 26, sur Côte-des-Neiges, un sergent-détective m'écoute longuement faire ma déposition. Je lui raconte en détail les circonstances de ma sinistre découverte, en lui disant que, s'il examine le cellulaire de Malvina qui est toujours dans son sac, il pourra vérifier l'heure des appels qui m'ont amené à découvrir son cadavre.

Quand j'ai terminé, il demande : « Est-ce que vous désirez avoir l'assistance d'un avocat ? (J'ai pris le temps de réfléchir à cette question. Prendre un avocat, c'est retarder le moment où je pourrai dire ce que je sais, et donc celui où ils pourront se mettre en chasse du coupable.) *Non.* Est-ce que vous acceptez de répondre à mes questions ? *Oui.* Connaissiez-vous personnellement la victime ? *Pas plus que ça. Je l'ai rencontrée pour la première fois il y a quatre jours. Elle est doctorante au CRIE et j'y suis chercheur. Rien de plus.* Est-ce que les experts de l'identification judiciaire sont susceptibles de trouver vos empreintes sur elle ou sur ses affaires ? *Ça m'étonnerait, je n'ai touché à rien...* (Il n'a pas l'air d'apprécier le ton nonchalant sur lequel je lui réponds.) Est-ce que vous avez déjà eu des relations sexuelles avec elle ? (Je suis très heureux de lui répondre :) *Non* ! Est-ce que vous accepteriez de subir un test ADN ? *Sans problème.* Est-ce que la victime était décédée quand vous êtes arrivé au CRIE ? *Elle était probablement décédée depuis plusieurs heures, d'après ce que j'ai pu constater.* Vous êtes médecin ? *Médecin légiste. En France.* (Il hoche la tête mais ne fait pas de commentaire.) »

Après m'avoir posé d'autres questions – sur ma présence au Québec, la date de mon arrivée, la durée de mon séjour – et réquisitionné mon passeport et mon permis de travail, il me demande mon adresse.

Bien entendu, quand je la lui donne, il lève un sourcil.

— Vous êtes le témoin qui se trouvait sur les lieux de l'agression rue Ferron, ce matin ?

— Oui.

— C'est vous qui avez découvert la victime.

— Oui. Avec votre collègue la sergente-détective Lalumière.

— Je vois.

Manifestement, je lui pose un problème. Il me laisse dans la salle d'interrogatoire et sort pendant plusieurs minutes.

— Je suis désolé, monsieur, dit-il en revenant, mais je suis obligé de vous garder en cellule.

— *Mmhhh.* À vrai dire, je m'y attendais un peu.

Il a l'air surpris par mon calme.

On me fait mettre en caleçon pour fouiller mes vêtements, on me retire ma montre, ma ceinture, mes lacets, et après m'avoir laissé me rhabiller, on me fait entrer dans l'une des cellules vides du PDQ 26.

Ça faisait longtemps...

*

Dans *Homicide,* la série de Levinson et Fontana, un des personnages explique que lorsqu'on arrête un innocent, il tourne dans sa cellule et hurle qu'on fait erreur ; lorsqu'on arrête un coupable, il s'endort : il était angoissé avant de se faire prendre ; une fois pris, il peut se détendre.

Je devrais être angoissé ou inquiet de me retrouver là, mais non. L'informatique étant ce qu'elle est, Réjane sera vite appelée à s'intéresser à son témoin de lundi matin devenu un suspect le lundi soir. Or, à vue de nez de légiste, Malvina est morte dimanche après-midi ou dans la nuit de dimanche à lundi, période pendant laquelle je faisais l'objet – sans le savoir – d'une étroite surveillance policière...

J'ai beau être aussi innocent qu'un agneau, je me sens aussi calme qu'un coupable. Mais j'ai passé une journée agitée et mes découvertes dans les bases de données de la police n'ont pas contribué à m'apaiser. Tout à l'heure, lorsque Francisco m'a découvert près du cadavre de Malvina, j'ai dû lutter pour garder mon sang-froid. Mais à présent, je me sens curieusement détendu. J'ai envie de m'allonger et de passer en revue tout ce que j'ai entendu, vu et lu depuis quatre jours.

Je vide ma vessie dans la toilette métallique, je me lave les mains, je m'asperge le visage. Puis je m'allonge sur la couchette, à plat ventre, la tête entre les bras et, avec un sourire réminiscent, je murmure : « Réfléchissons. »

*

Je dors, je le sais, parce que je suis dans le parc Duplantie, et mon regard se porte de l'autre côté de la rue, sans effort, comme si j'étais doué d'une vue téléscopique et entre par la fenêtre du 3440 Ferron. L'intérieur de l'appartement n'est pas le salon d'Owen, ni son bureau, mais la pièce modeste et poussiéreuse de *Design for Living*. Il fait clair. Je distingue nettement le canapé-lit sur lequel Miriam Hopkins est allongée, languissante. Cette fois pourtant, je ne vois pas deux hommes autour d'elle, mais trois. Gary Cooper, Fredric March et… tiens ! Humphrey Bogart. Que vient-il faire ici ? Quel rôle tient-il dans cette histoire ? Il ne fait pas partie du film, que je sache… Comme les deux autres hommes, il est penché sur la jeune femme et la regarde avec des yeux amoureux et perplexes. La jeune femme est allongée sur le dos, un bras levé devant son visage, l'autre étendu au bord du lit. Les trois hommes tendent la main vers la sienne délicate suspendue au-dessus du vide.

Mais voici que ça bouge dans un coin de l'image. Une petite main, un bras, le torse et enfin le corps d'un petit garçon de deux ou trois ans émergent de sous un second lit. L'enfant se met sur ses pieds, se plante devant les trois hommes qui le regardent, stupéfaits. La jeune femme soulève le bras, puis le repose précipitamment, comme si l'apparition du garçonnet l'effrayait. L'enfant ne bouge pas, il observe le groupe. Puis, lentement, il se tourne vers moi, me fait un clin d'œil et m'appelle.

*

— Charly !

— *Mmhhh...*

— Réveille-toi donc !

J'ouvre les yeux. Une paire de jambes se dresse devant la couchette. Je lève la tête. Réjane me lance un regard furibond.

— Ah... Salut, beauté ! Quelle heure est-il ?

— Sept heures et demie du matin.

— Non ! Dis donc, j'ai bien dormi !

Je m'assieds au bord de la couchette, je me frotte les yeux, je lui fais un petit signe de la main.

— Ça va ?

— Quoi « Ça va » ? Je viens te chercher en cellule et tout ce que tu trouves à dire c'est « Ça va » ? Quand on m'a appelée tout à l'heure pour me dire que t'avais passé la nuit ici, je voulais te tuer !

— Ah bon ? Pourquoi ?

— Tu aurais dû m'appeler !

Je lui fais un grand sourire endormi.

— Je savais que tu finirais par me trouver. Je suis sûr que tu trouves toujours ton homme. Et j'avais besoin de réfléchir...

Elle secoue la tête, en signe d'incompréhension totale, me prend par le bras pour m'obliger à me lever.

— Viens !

— Oui, madame la sergente-détective...

Elle me pousse hors de la cellule et me donne un coup de poing sur l'épaule.

— Je vois qu'ici aussi on subit des violences policières...

Elle est sur le point de m'en donner un autre mais se retient en croisant le regard réprobateur d'un policier en faction dans le couloir. Une minute plus tard, on me remet mon sac à dos et mes effets personnels contre une signature. Une minute après, elle me pousse hors du PDQ 26 et me fait monter dans sa voiture.

— T'as pas acheté des *doughnuts ?* Dans les films, les flics boulottent toujours des *doughnuts* en voiture.

Elle frappe le volant à deux mains.

— Je comprends pas que tu prennes ça à la plaisanterie ! Tu sais que t'es dans de sales draps ? Je t'ai fait sortir parce que ma patronne me fait confiance et parce que le légiste a certifié que cette fille est morte dans la nuit de dimanche...

— Or, cette nuit-là, moi aussi j'étais mort. Dans tes bras...

— Oui ! répond-elle, plus furibarde que jamais. Et ça m'amuse pas *pantoute* d'avoir à expliquer ça une deuxième fois, à l'occasion d'une *deuxième* affaire !

— Non, ma belle, c'est la même.

Elle se calme d'un seul coup.

— Tu penses que les deux crimes sont liés ?

— Tout est lié.

— Quoi ?

— L'agression d'Owen, l'assassinat de Malvina, la disparition de Joshua, Julie et Alice, les agressions et les décès d'itinérants, tout est lié. Et tout a commencé par la mort de Kathleen Cheechoo.

Elle reste bouche bée, comme pour examiner ce que je viens de dire.

— Okay... Tu m'intéresses... Mais qu'est-ce que Malvina vient faire là-dedans ?

— Elle était la complice du coupable.

— Il n'y a qu'un coupable ?

— Oui.

— Tu connais son identité ?

— Oui.

— Dis-la-moi, que j'aille l'arrêter !

— Non, parce que tu ne peux pas le prouver.

— Pourquoi ?

— Deux personnes étaient susceptibles de commettre ces trois crimes. Si tu en arrêtes une, tu es obligée d'arrêter les deux, car les éléments de preuve contre l'une et l'autre seront les mêmes. Évidemment, elles vont nier toutes les deux. Et chaque avocat pourra facilement semer le doute en évoquant la possible culpabilité de l'autre. Alors, j'ai autre chose à te proposer.

— Je t'écoute.

— Je vais aller trouver le coupable et obtenir ses aveux.

— Tu me niaises, là ?

— Pas du tout.

— Je t'accompagne !

— J'allais te le proposer, mais tu ne dois pas assister à l'entretien. Tu resteras dehors.

— Pourquoi ?

— Parce que, pour le coincer, je dois lui dire quelque chose que tu ne dois pas entendre. Que personne ne doit entendre.

— Personne d'autre que lui ?

— Oui.

— C'est quelque chose qu'on t'a dit ?

— Non, c'est quelque chose que j'ai compris. En dehors de moi, je pense que personne ne le sait. Et lui-même ne le sait pas.

— Et tu ne peux pas me le dire... ?

— Je peux le dire. Mais je ne veux pas. Ça ne m'appartient pas.

— Tu ne peux rien me dire ?

— Je peux te dire exactement qui je soupçonne et pourquoi, mais j'aimerais d'abord savoir quelle est ma situation !

Elle réfléchit longuement, regarde sa montre, prend une profonde inspiration.

— J'ai pu te faire sortir ce matin parce que le policier qui t'a arrêté n'a pas fait les choses en règle et ma patronne craint que tu poursuives le SPVM pour arrestation abusive. Quand elle a compris qu'on... se connaît, elle m'a envoyée arrondir les coins... Officiellement, je ne suis pas en service avant 8 h 30.

— Ah… Donc, si je comprends bien, pendant l'heure qui vient, je parle à… ma blonde, pas à la sergente-détective Lalumière.

Elle retient un sourire et soupire une fois encore.

— Techniquement, c'est ça…

— Parfait ! dis-je avec entrain. (Je regarde ma montre.) On a largement le temps de passer rue Ferron récupérer une pièce à conviction puis d'aller prendre un petit déjeuner chez Olivieri[1] !

Elle me lance de nouveau un regard d'incompréhension.

— Le coupable sera au CRIE dans la matinée ! Tant qu'à faire, j'aimerais mieux l'affronter avec un café et un croissant dans l'estomac !

Elle lève les yeux au ciel, met la voiture en marche et déboîte.

— Ne perdons pas de temps, je t'écoute ! Et t'as intérêt à être convaincant !

— Eh bien, voilà ! Il était une fois…

1. Excellente librairie indépendante proche de l'université de Montréal et dotée d'un très bon café-restaurant.

36

Out of the Past

Mardi 25 mai

Près de la librairie Olivieri, une grande enseigne lumineuse affiche l'heure et la température. Quand nous quittons le café, vers dix heures moins le quart, elle indique 22 °C.

Au cinquième étage du 2910 boulevard Édouard-Montpetit, juste sous les toits, il fait déjà beaucoup plus chaud. En passant devant le bureau des étudiants, je vois que deux jeunes filles prennent un café accoudées au balcon.

À la demande de Réjane, Francisco nous ouvre le bureau que je lui désigne. Le professeur qui y travaille n'est pas encore arrivé. Je m'installe dans un fauteuil pour l'attendre. Réjane reste debout et fixe la porte ouverte.

— Tu crois qu'il va venir ?

— Tu as entendu Jennie : il doit recevoir des étudiants à 10 heures. (Je regarde ma montre.) Il ne va plus tarder.

— Je ne suis pas très à l'aise avec ce que tu m'as proposé.

— Je sais, mais si tu veux faire les choses à ta manière, ça va prendre du temps, et ça lui en donne suffisamment pour organiser sa défense, faire disparaître les preuves ou au moins brouiller les cartes. La seule personne qui pouvait l'incriminer clairement est morte. S'il est l'homme que je crois, il a suffisamment de sang-froid pour s'en tirer. Tandis que si je le fais avouer...

— J'ai bien compris, mais je ne suis pas du tout aussi optimiste que toi. Rien ne l'oblige à avouer.

— Non. Tu as raison. C'est un pari que je fais. Son orgueil le perdra... Son orgueil ou son sens moral...

Et je joue un jeu délicat. Je dois le convaincre d'avouer en lui racontant ce que j'ai compris, et sans rien lui livrer de ce qu'on m'a dit...

— Un assassin qui a du sens moral ? Ce serait bien la première fois.

— Ah, mais nous sommes dans un centre de recherches en éthique. Ici, tout est possible.

Elle hausse les épaules et s'apprête à répondre quand une silhouette se découpe dans l'encadrement de la porte.

— Bonjour ! Comment allez-vous, Charly ?

— Très bien, et vous ? Ce colloque à Québec avec votre codirecteur, ça s'est bien passé ?

— Très bien. C'est gentil de venir me rendre visite à mon retour.

Il se tourne vers Réjane.

— Et vous êtes accompagné ! Bonjour, Réjane...

— Bonjour, monsieur, répond sèchement Réjane. Je suis ici en tant que sergente-détective à la section des Crimes Majeurs.

— Vraiment ?

Il pose son sac de voyage par terre, s'installe à son bureau et, comme si de rien n'était, me regarde avec un demi-sourire.

— J'ai appris l'agression contre Owen et le décès de Malvina Hébert, je suis vraiment choqué...

Je fais un signe de tête à Réjane. Elle sort de la pièce en refermant la porte derrière elle.

— Un entretien en tête à tête ? fait-il. Intéressant..

— Vous savez pourquoi je suis là, dis-je.

— Je m'en doute un peu, docteur, mais j'aimerais l'entendre de votre bouche...

— Je suis là pour vous convaincre de vous constituer prisonnier.

Il éclate de rire.

— Vous ne doutez de rien ! Pourquoi ferais-je une chose aussi ridicule ?

— *Mmhhh...* Parce que c'est une décision raisonnable.

— Il va m'en falloir plus pour me convaincre... et pour me faire dire des choses qui pourraient être retenues contre moi.

Ce saligaud doit savoir qu'il sera difficile à coincer. Sinon, il ne me narguerait pas comme ça depuis qu'il est arrivé.

— Alors, ne dites rien, contentez-vous de m'écouter.

Il incline son fauteuil comme pour y somnoler et croise les doigts sur son ventre.

— Il était une fois...

Il ricane. Je souris et je poursuis.

— Il était une fois une femme, appelons-la Guenièvre, qui avait trois soupirants : Arthur, Lancelot et Galahad. Tous trois étaient dignes d'elle, mais il fallait bien en choisir un – ce fut Arthur – et, du même coup, décevoir les deux autres. C'était une femme hors du commun. Lancelot et Galahad, quoique éconduits, aimaient tellement Guenièvre qu'ils décidèrent de rester dans son orbite, jusqu'à s'allier à Arthur et à ses projets. Par amour ? Par intérêt ? – je précise qu'Arthur était riche ! Peu importe. Comme ils étaient tous les deux des hommes de valeur, ils n'eurent pas de mal à prendre une place importante dans les projets du couple, et lui servirent bientôt de conseillers scientifiques et de cautions morales. Jusqu'au jour où, contre toute attente, Lancelot décida de mettre son éthique dans sa poche.

Je fais une pause et je scrute le visage de mon interlocuteur. Il a fermé les yeux et, au bout de quelques secondes de silence, les ouvre, me regarde, me dit : « Continuez, docteur, continuez », sur un ton paternel et les referme. Je durcis le ton.

— En 2007, lorsque Kathleen Cheechoo fonde le foyer d'hébergement de la rue Ferron, la représentante d'une compagnie pharmaceutique contacte Lancelot et lui fait, j'imagine, une proposition qu'il ne peut pas refuser. Qu'il ne refuse pas, en tout cas. Cette proposition est à peu près la suivante : en échange d'une rémunération substantielle mais discrète, il donnera à ladite compagnie, *via* une de ses sociétés « d'éducation des patients », accès aux dossiers médicaux des hommes hébergés au foyer et l'aidera à recruter ces hommes pour tester des médicaments, probablement des psychotropes.

Il ouvre un œil.

— Vraiment ? Pourquoi recruter des itinérants ?

— Parce qu'ils n'ont pas de famille, parce qu'ils ont souvent des troubles du comportement, ce qui en fait une population idéale ; parce qu'ils sont souvent mal en point, toxicomanes, alcooliques, insuffisants hépatiques – toutes caractéristiques qui les écartent des essais habituels.

— Mais quel peut être l'intérêt d'étudier l'efficacité d'un médicament sur des… cobayes aussi mal en point ?

— C'est bien ce qui est diabolique… Il ne s'agissait probablement pas d'étudier leur *efficacité*, mais *leurs effets nocifs*… Et en particulier la survenue de comportements violents ou suicidaires chez des personnes déjà prédisposées. Qui posera des questions si des épaves mettent fin à leurs jours, se battent à coups de brique ou meurent d'overdose ? De plus, ce sont des itinérants d'origine autochtone – les plus marginalisés, les plus invisibles de tous – et dont le patrimoine génétique spécifique intéresse au plus haut point les chercheurs de l'industrie pharmaceutique, toujours désireux de « cibler » au plus près les molécules qu'ils testent !

Il a toujours les mains croisées mais il s'est redressé et me regarde fixement.

— Continuez...

— Malheureusement, alors qu'elle vient d'inaugurer le centre et se prépare à quitter Montréal, Kathleen Cheechoo découvre que Lancelot, à qui elle faisait toute confiance – et qu'elle a peut-être aimé, par le passé –, a vendu son âme au diable et, avec elle, celle du foyer qu'elle a créé. Avant qu'elle puisse le dénoncer – ou le faire foutre dehors –, Lancelot la tue. Ce faisant, et sans doute de manière imprévue même pour lui, il crée une rupture profonde entre Owen et Joshua tout en asseyant, de fait, son autorité sur le CRIE et le foyer de la rue Ferron. Le temps passe, et Lancelot croit que son crime... non, *ses* crimes ! – qui sait combien d'itinérants autochtones sont morts par sa faute, depuis trois ans ? – resteront impunis. La maladie d'Owen La Chance lui fait entrevoir l'éventualité de devenir le seul maître à bord – ou presque. Tout irait pour le mieux si un tout petit grain de sable ne venait se loger dans la machine bien huilée.

— Vous parlez de vous, docteur ? dit-il en posant les avant-bras sur le bureau.

Ah, j'ai fini par capter ton attention, mon pote.

— Non, je n'ai pas cette vanité. J'ai cru un moment, après l'agression d'Owen, que mon arrivée y était pour quelque chose, mais en y réfléchissant, j'ai compris qu'il n'en est rien. La véritable cause déclenchante de tout cela est le retour de Joshua. Un Joshua transformé, pénitent, désireux de se réconcilier avec son père et d'aider les hommes en détresse – et certainement de renouer avec la femme qu'il aime et avec leur enfant. Bref, un homme aussi épris de justice et encore plus imprégné de morale que ne l'était sa mère...

Je le vois sur le point de dire quelque chose, mais il se retient.

C'est ça. Marine encore un peu dans ton jus...

— Quand Lancelot apprend que Joshua s'est installé au foyer, il sait que ça sent le roussi. S'il s'agissait d'un fils prodigue comme les autres, passe encore. On peut garder la haute main, moralement parlant, face à un fils pénitent. Mais face à un prêtre !!!

Je le vois se frotter les mains nerveusement.

— Alors... Lancelot panique. Il panique tant qu'il commence à se poser des questions. La police n'a rien trouvé dans l'appartement de Kathleen après son assassinat ; mais un fils aimant, un fils très proche de sa mère, s'il remet les pieds dans les lieux, ne risque-t-il pas d'y lire un indice, un signe qui désignera le coupable ? Il faut aller y mettre le nez avant lui ! Comment accéder à ce logement, inaccessible depuis trois ans, sans attirer l'attention ? C'est à ce moment que le brave Charly Lhombre entre en scène. Comme par hasard, une étudiante du CRIE, Malvina Hébert, est très amie avec Julie... Quelque chose me dit d'ailleurs que la chère Malvina est devenue l'amie de Julie parce que Lancelot le lui a fortement suggéré...

— Ah, vous pensez que ce... Lancelot et Malvina se connaissaient bien ?

Je vois ses yeux s'allumer en parlant de Malvina, et je sais que je le tiens.

— Oh, je pense même qu'ils étaient amants et que Lancelot exerçait sur elle une très forte emprise. Toujours est-il que ladite Malvina « suggère » à Julie de louer l'appartement au chercheur nouvellement invité. D'ailleurs, il est médecin. Or, Julie est inquiète pour Owen. Ça la rassurerait d'avoir un médecin tout près. Elle parvient à convaincre le vieil homme, qui lui fait confiance...

Et qui aurait peut-être refusé si son vieil ami Raoul ne lui avait pas parlé de moi en termes élogieux, mais ça, tu ne le sais pas...

— Lorsque Owen et Julie s'absentent le jour de l'arrivée de leur locataire, Malvina se propose « spontanément » pour lui remettre les clés. Une fois qu'elle l'aura installé, elle a pour mission de gagner la confiance du visiteur. Il est célibataire, loin de chez lui et français – donc, sensible au charme des jolies femmes !

Il ouvre de grands yeux.

— Vous croyez vraiment que... Lancelot a demandé à une jeune femme qui était peut-être sa maîtresse de se prostituer pour accéder à l'appartement de Kathleen ?

— Mais qui vous parle de se prostituer ? Les hommes sont naïfs. Ils prennent leurs désirs pour des réalités. Et ils avalent n'importe quoi quand on sait le leur administrer. Mais il arrive aussi que les femmes aient des sentiments. Et des désirs... Le soir de mon arrivée, quand Malvina m'a remis les clés, sa mission du jour s'arrêtait là. Elle avait autre chose en tête : aller s'occuper des itinérants sur Mont-Royal. Elle n'avait évidemment pas prévu qu'après avoir fait des courses, je m'arrêterais devant le camion de « La nuit dans la rue » et me mettrais à soigner les hommes et les femmes avec elle. Au bout de trois heures de collaboration et un bon moment passé ensemble autour d'un verre, je n'étais plus un étranger, je suis devenu sympathique. Et peut-être même séduisant. Elle a pu penser : « Il est gentil, il me plaît bien, pourquoi ne pas aller le border ? Une fois endormi, il ne me verra pas fouiller dans l'ordinateur de Kathleen... » Une manière de joindre l'utile à l'agréable, en quelque sorte. Seulement, je n'étais pas d'humeur libertine ce soir-là, et je l'ai gentiment éconduite. Qu'à cela ne tienne ! Le soir suivant, après le spectacle d'Adélaïde, je me retrouve avec tout le CRIE dans un café non loin de Berri-UQAM. Sous prétexte de me mettre en garde contre les trois grâces qui me font la causette, Malvina me colle son décolleté sous le nez et en profite pour glisser une benzodiazépine quelconque dans ma bière. Je perds rapidement les pédales et le sens commun, mais j'ai tout de même la présence d'esprit de rentrer chez moi en taxi. Elle me rattrape, me fait monter dans le taxi qu'elle a appelé. Lorsque nous arrivons rue Ferron, elle déverrouille ma porte, me met au lit et efface – peut-être après en avoir copié le contenu – le disque dur de Kathleen Cheechoo. Le médicament qu'elle m'a administré entraîne une amnésie. Lorsque je me réveille, je n'ai aucun souvenir précis de ce qui s'est passé après mon départ du café – seulement quelques hallucinations où elle n'apparaît pas.

« Lancelot » soulève un coupe-papier et le fait tourner entre ses mains. Mon récit est en train de produire son effet.

— Bien sûr, ça ne règle qu'une partie du problème. La carrière de Lancelot est entièrement liée, et depuis fort longtemps, à l'évolution du CRIE. Il faut absolument empêcher Owen d'ordonner enquêtes et audits sur la gestion du foyer. Cela aurait certainement pour conséquence de jeter la suspicion sur les deux codirecteurs du CRIE, ce qui serait catastrophique. Comment éviter qu'Owen ou son fils découvre la petite combine avec WOPharma ? Lancelot a un peu de temps devant lui : un prêtre, même si ça découvre une irrégularité, ça ne va pas facilement parler à la police. Mais le risque est trop grand.

Il pose le coupe-papier sur le bureau et se frotte les yeux. Il s'affaisse de plus en plus.

— Que faire pour s'en sortir ? La solution est sinistre mais simple : tuer Owen et faire accuser Gerry, un itinérant connu pour des bouffées de violence qui l'ont déjà amené à se battre – et peut-être à blesser gravement plusieurs de ses camarades du foyer. Gerry – je le sais pour l'avoir entendu – déteste Owen ; peut-être parce qu'il le soupçonne, lui aussi, d'avoir tué Kathleen, une fille de son peuple. Peut-être pour cette même raison, il hante le parc Duplantie. Malvina – qui est décidément très gentille avec tout le monde – le connaît bien. Il lui est facile de lui faire boire un cocktail de médicaments. Lancelot l'a par ailleurs chargée d'aller chercher Joshua au foyer, puis de passer prendre Julie et Alice au parc Lafontaine et d'emmener tout ce petit monde à la campagne, hors de Montréal, pour des retrouvailles aussi émouvantes qu'impromptues. Ainsi, pendant la nuit, alors que la petite famille se retrouve loin de la ville, Lancelot peut tranquillement aller sonner à la porte d'Owen. Il a enfilé des sacs-poubelles comme le font les itinérants, il l'assomme – sans toutefois parvenir à le tuer – et fait mine de tout dévaster. Puis, il abandonne les sacs et la batte près de Gerry…

Mon interlocuteur lève la tête.

— Je vous arrête, docteur. Quelque chose ne va pas dans votre démonstration.

— Je vous écoute…

— L'agression d'Owen a eu lieu…

— Lundi dans la nuit ; avant le lever du jour, très probablement.

— Si j'en crois votre… théorie, Lancelot est un des deux codirecteurs du CRIE.

— Exact.

— Mais tous deux se trouvaient à Québec dès dimanche soir et jusqu'à ce matin…

Je lui fais un large sourire.

— Voyons, professeur, ne me prenez pas pour un imbécile ! Québec n'est qu'à trois heures de voiture. Et vous n'avez probablement pas couché dans la même chambre d'hôtel… Même si vous avez voyagé ensemble tous les deux, dimanche soir, rien ne vous empêchait de repartir subrepticement dès votre arrivée à l'hôtel, de revenir à Montréal agresser Owen et de retourner faire votre présentation comme si de rien n'était. J'ai vérifié sur le programme : vous parliez à midi. Et puisque vous abordez le sujet, voici ce qui s'est très probablement passé : Malvina est passée prendre Joshua, puis Julie et Alice, et les a conduits quelque part entre Montréal et Québec, sans doute dans une cabine isolée au bord du Saint-Laurent. Quand elle les a quittés, elle a poursuivi sa route vers Québec, est allée vous chercher à l'hôtel et vous a ramené à Montréal dans la nuit... Elle ne savait pas, la malheureuse, que ce serait son dernier voyage...

Je vois mon interlocuteur serrer les poings si fort que ses articulations deviennent livides.

— On peut faire beaucoup de choses par amour ou sous influence. Y compris se rendre complice d'un vol d'information ou de la destruction d'un disque dur. Et administrer des médicaments à un itinérant – ou à un chercheur français –, ça ne porte pas vraiment à conséquence. Mais je ne suis pas sûr que Malvina voyait d'un bon œil votre projet d'assassiner Owen. Peut-être d'ailleurs n'a-t-elle compris vos intentions qu'à la dernière minute, pendant le voyage de retour à Montréal. Vous n'aviez encore rien fait de proprement criminel, mais vous vous êtes rendu compte qu'elle risquait de craquer et de vous trahir. Peut-être vous a-t-elle même dit ça au moment où elle retournait récupérer son ordinateur dans son bureau. Malvina vous reliait à tous vos méfaits. Si vous vouliez tuer Owen impunément et retourner à Québec dans la nuit, il fallait la tuer, elle aussi. Se débarrasser d'un cadavre au milieu de nulle part, c'est compliqué, et les caméras sont nombreuses de nos jours, on peut repérer sur les enregistrements le véhicule qui l'a transporté... Mais l'abandonner à l'intérieur d'un bâtiment public non surveillé qui n'abrite que quelques dizaines de professeurs et d'étudiants en sciences humaines, c'est beaucoup plus malin. Elle pouvait être arrivée en bus ou en métro. N'importe qui avait pu entrer avec elle et la tuer, y compris un amant occasionnel... De plus, celui qui allait trouver le corps serait inévitablement le principal suspect. Bref, les seules personnes qu'on n'irait pas soupçonner étaient les deux honorables professeurs en train de présenter leur travail à Québec...

Il me regarde. Ses épaules sont affaissées à présent. Je décide de tenter ma chance.

— Après avoir essayé de tuer Owen, vous êtes retourné à Québec avec le véhicule que Malvina avait probablement loué elle-même. Qu'en avez-vous fait ?

Il ouvre la bouche presque mécaniquement, puis se retient et pouffe.

— Ah... Très finement essayé, docteur. Mais je ne connais pas la réponse à cette question... Je peux vous en poser une, à mon tour ?

— Je vous en prie.

— Pourquoi moi, plutôt que l'autre codirecteur ? Comme vous l'avez souligné, la belle histoire que vous venez de raconter peut nous concerner aussi bien l'un que l'autre. Pourquoi Lancelot, plutôt que Galahad ?

— C'est ce qui m'a le plus tracassé. Je n'avais aucune preuve, voyez-vous, rien qu'une intuition. Celle que la réponse, l'indice qui vous désignait, se trouvait chez Kathleen. Elle s'y trouvait, effectivement, et je l'ai apportée.

Je tapote le sac posé près de moi, sur le sol, et je le vois blêmir.

— Mais elle n'a fait que confirmer ce que j'avais déjà compris... Lorsqu'un meurtre est commis, si un membre de la famille de la victime disparaît, la première chose à laquelle pensent les policiers est que cette disparition est une fuite. Emmener Julie, Alice et Joshua loin de Montréal et les laisser dans un lieu isolé de tout, probablement sans téléphone, n'était pas seulement une manière habile d'assassiner Owen sans témoin. C'était l'occasion rêvée, au cas où Gerry ne serait pas assez convaincant, de faire porter les soupçons sur Joshua. Et, pour cette raison, j'ai tout de suite compris que Galahad ne pouvait pas être coupable.

Il ouvre de grands yeux.

— Et pourquoi donc ?

— Ah ! Voyez-vous, je ne connais pas bien Galahad, mais je l'ai entendu parler et, surtout, je l'ai vu agir. Il n'aurait jamais fait soupçonner de meurtre un jeune homme *qui pourrait être son fils*.

La phrase lui coupe le souffle.

— Que... que voulez-vous dire ? Le père de Joshua, c'est Owen.

— En êtes-vous si sûr ? Souvenez-vous, Guenièvre avait trois prétendants. Quand elle a choisi Arthur, êtes-vous sûr qu'elle était enceinte de lui ?

— Évidemment, j'en suis sûr ! Cet imbécile de... Galahad ne l'a jamais touchée ! Et moi...

Il s'arrête une nouvelle fois, comme s'il était en train d'examiner une idée complètement folle.

— Je sais ce que vous alliez dire. Au milieu des années soixante-dix, vous avez décidé de ne jamais avoir d'enfant et vous avez subi une vasectomie. Mais comme je l'expliquais hier à Galahad – enfin, à Leonard –, à l'époque, lorsque le patient était jeune – ce qui était votre cas –, les urologues préféraient pratiquer une intervention *a minima*, pour faciliter une éventuelle reperméabilisation chirurgicale au cas où leur patient changerait d'avis. Malheureusement, une vasectomie *a minima*, parfois, *se répare toute seule*. Pas complètement, mais suffisamment pour permettre *une* grossesse...

Hors de lui, il bondit sur ses pieds.

— Vous dites n'importe quoi ! Joshua n'est pas, ne *peut pas* être mon fils !

— Pour un généticien, vous n'êtes pas très perspicace, professeur. Bien sûr, une femme et un homme aux yeux marron, comme Kathleeen et Owen, peuvent avoir un enfant aux yeux verts. Mais des yeux du même vert que les vôtres ?

Je me lève à mon tour, et je pose mon sac sur son bureau.

— Kathleen était une Crie, et catholique. Vous étiez amants, vous n'aviez certainement pas manqué de lui parler de votre vasectomie. Je peux comprendre que, se découvrant enceinte d'un autre homme qu'Owen – et, qui plus est, d'un homme qui se croyait stérile –, elle n'ait pas voulu se faire avorter. Mais elle aimait Owen, et c'est lui qu'elle a choisi. Sachant cela, son comportement prend tout son sens. C'est la culpabilité qui lui a interdit d'avoir un autre enfant. C'est probablement la culpabilité qui l'a conduite, une première fois, à quitter Owen et à se réfugier parmi son peuple, puis à revenir quand elle a compris que Joshua et lui ne s'entendaient pas. Elle avait laissé au compagnon qui l'aimait un enfant qui n'était pas le sien. C'est la culpabilité encore, j'en mettrais ma main à couper, qui l'a amenée à vous recevoir seule à seul le soir où vous l'avez tuée. Elle ne pouvait pas, purement et simplement, briser la carrière de l'homme qui, sans le savoir, lui avait donné un enfant. Elle voulait vous donner une chance de vous retirer la tête haute. Si vous n'aviez pas été aussi pressé de la tuer, ce soir-là, si vous n'aviez pas accordé plus d'importance à votre carrière qu'à la femme qui vous avait aimé, cette chance, elle vous l'aurait donnée…

Blême, comme frappé par la foudre, il s'affaisse sur son fauteuil. Je sors de mon sac un cliché grand format que je dépose devant lui.

— Voici une photo prise par l'identité judiciaire dans le bureau de Kathleen le lendemain de son assassinat. Vous voyez le livre, sur le sol ? Il n'est pas posé en pile comme les autres, il a l'air d'être tombé. Et sur les étagères, à l'arrière-plan, on distingue une rangée de livres identiques, avec un espace vide. Je me suis demandé : qu'est-ce qu'elle faisait avec ce livre à la main au moment où elle a été tuée ? Rien, peut-être, mais j'ai eu envie de le voir, ce livre. Et cette idée un peu bizarre, il semble qu'avant moi personne ne l'ait eue. Après que la police a libéré les lieux, quelqu'un – Owen, peut-être – a ramassé le livre et l'a remis à sa place sur une étagère. C'est là que je l'ai trouvé, tout à l'heure, quand je suis repassé rue Ferron. Et, en l'ouvrant, j'ai su que vous l'aviez tuée.

Je sors le livre de mon sac.

— C'est une édition illustrée d'une pièce de Shakespeare : *Love's Labour Lost.* Ironique, non ?

Dans ma main, le livre s'ouvre. Entre deux pages se trouve un papier plié en quatre.

— Lorsque vous êtes arrivé, elle a compris, très vite, en vous voyant à travers la porte vitrée que vous étiez en colère. Elle a eu peur. Elle venait de griffonner quelque chose sur un papier ; quelque chose qui exprimait sa colère, son angoisse, sa frustration d'avoir appris ce que vous aviez fait. Quand vous êtes arrivé, elle n'a pas voulu que vous puissiez le voir, et l'a glissé dans le premier livre qui lui tombait sous la main. Mais elle n'avait pas rangé le livre quand elle vous a ouvert ; peut-être allait-elle le reposer quand vous l'avez étranglée… Voici ce qu'elle y a écrit.

Je déplie le papier et je le pose devant lui. Il porte, comme une figure obsessionnelle, des cercles entourant tous le même groupe de signes :

ᒥᐱᐦᒥᑌ

— Qu'est-ce que… ? Ça ne veut rien dire !

— Oh, mais si ! Et je vois bien Kathleen griffonner ça, à son bureau, en pensant à vos agissements envers les itinérants du foyer. Ça ressemble à un gribouillis, mais quand on se met à la place de celle qui l'a écrit, le sens en est très clair…

Il regarde la feuille, secoue la tête et se redresse, un sourire ironique aux lèvres.

— C'est un code ? Vous voulez me faire croire qu'elle m'a désigné en code ?

— Pas du tout. Les quatre premiers symboles appartiennent à une langue que Kathleen parlait et écrivait. Ce n'est pas un code, *c'est du cri.* Dans la région de la baie James, on voit ça à tous les carrefours, sur les poteaux indicateurs. Ça signifie, tout simplement Stop. Quand on le lit en prononçant le U à l'anglaise, le message de Kathleen signifie donc…

— Stop You ?

— Stop *Hugh*..

37

La corde

Pendant de longues minutes, Hugh Osler est resté silencieux et absolument immobile. Ses yeux allaient de la photo au livre, du livre au carré de papier, du carré de papier à la photo, et fixaient, pendant des instants de plus en plus longs, la silhouette étendue de Kathleen.

Je me sentais à la fois épuisé et soulagé. J'avais pu lui dire tout ce que j'avais à lui dire et, je le voyais bien, il était profondément ébranlé. Il n'avait pas réfuté une seule de mes hypothèses, et à aucun moment de ma narration je ne l'avais vu sourire comme on le fait lorsqu'on sait que le narrateur se trompe.

Il allait craquer, je le sentais ; il était vaincu. Et lorsque, au bout de ces interminables minutes, il poussa un soupir, je me suis levé tranquillement et j'ai ouvert la porte pour appeler Réjane.

Mais la voix de Hugh m'a arrêté.

— C'est une fiction bien troussée, docteur. Malheureusement, elle ne prouve rien.

Je me suis retourné. Il avait parlé sur le ton assuré que je l'avais entendu employer avec Malvina et ses étudiants, le lendemain de mon arrivée. Il était debout à présent et, posément, repliait le carré de papier, le glissait dans le livre, rangeait le livre et la photo dans mon sac.

Il m'a fait un grand sourire, a boutonné le premier bouton de col de sa chemisette blanche, a fourré la main dans sa poche et en a sorti une mince cravate qu'il s'est mise à nouer sans hâte et avec soin en un magnifique nœud papillon. Puis il m'a regardé d'un air assez hautain et, désignant mon sac :

— Vous devriez récupérer vos affaires, docteur. Vous comprendrez bien que je ne peux pas vous laisser m'accuser de crimes aussi abominables et vous garder ici. Je vais devoir prévenir l'immigration que votre contrat de travail n'a plus de raison d'être.

Et j'ai eu le vertige.

J'ai lu dans ses yeux qu'il avait passé ses longues minutes de silence à examiner tout ce que j'avais dit. Et, comme je le redoutais, il avait compris que mon récit n'était qu'une suite de conjectures, une construction qui, certes, tenait debout, mais qui n'aurait aucune valeur probante devant un jury.

Il était le père de Joshua. Et alors ? Ça ne prouvait nullement qu'il avait tué ou tenté de tuer trois personnes. Quelqu'un – Kathleen ou un autre – avait griffonné un rébus en langage cri sur un bout de papier ? Bien malin qui pouvait démontrer que ce papier datait du soir de son assassinat...

Je n'avais rien dit de concret. J'avais élaboré une théorie élégante, mais elle n'avait pas suffi à le terrasser.

Je suis resté debout, pétrifié, la main sur la poignée de la porte que je venais d'ouvrir. Il a fait le tour de son bureau, est passé devant moi sans me regarder et, ajustant d'une main son nœud papillon, il a murmuré doucement : « Bon retour en France, docteur Lhombre... »

Je l'ai vu s'éloigner tranquillement, faire un petit signe de main ironique à Réjane, puis entrer dans le bureau des doctorants.

Je suis allé récupérer mon sac et je suis sorti du bureau la tête basse. Réjane venait à ma rencontre. Je n'osais pas la regarder, j'ai secoué la tête. Les mots sortaient avec peine.

— Ça n'a pas... marché. J'étais pourtant sûr... Je suis désolé...

Je titube dans le couloir et, en passant devant le bureau des doctorants, je tourne la tête. Accoudé au balcon, Hugh bavarde avec les deux étudiantes. Je ne sais pas ce qu'il leur raconte, mais elles rient, et ses yeux verts pétillent de plaisir.

D'un air triomphant, il lève la main vers son col de chemise.

Comme un papillon attiré par une flamme, j'entre dans la pièce et je fais signe à Réjane de me suivre. Lentement, pendant qu'une idée encore floue volette dans ma tête, je m'avance vers le balcon. Hugh me regarde et son sourire narquois se transforme peu à peu en perplexité. Soudain, l'idée floue se fige et devient nette.

Je m'arrête au seuil du balcon, je regarde Hugh et je dis :

— Chaque fois que j'ai croisé Malvina, elle portait un petit foulard noué autour du cou. C'était pour cacher quelque chose, je l'ai compris hier soir en examinant son cadavre. Avant d'être assassinée, elle avait déjà été étranglée à plusieurs reprises, pendant vos ébats érotiques, j'imagine ; pas avec son foulard, mais avec un lien plus fin. Un lien que vous portez toujours sur vous, pour dominer sexuellement... ou pour tuer.

Tel un joueur de tennis surpris par un *ace*, Hugh s'immobilise. Je lui donne le coup de grâce.

— Ce magnifique nœud papillon, professeur, je jurerais que vous le portiez déjà avant-hier, au parc

Lafontaine… Et l'identification judiciaire n'aura pas de mal à retrouver parmi ses fibres les cellules épithéliales de Malvina Hébert…

Réjane a sorti son arme de service et la braque sur lui.

— Monsieur Osler, je vais vous demander de me suivre.

Hugh secoue la tête, soupire, se tourne vers les deux étudiantes stupéfaites et, d'une voix où se mêlent bravade et amertume, murmure :

— Désolé, mesdemoiselles. Nous n'aurons pas le plaisir…

Avant que nous puissions le retenir, Hugh bascule par-dessus la rambarde. Les deux femmes poussent un cri. Cinq étages plus bas, sa tête éclate avec un bruit mat en percutant le trottoir de béton.

38

Une porte sur l'été

Longtemps, je me suis baladé dans Montréal, à pied, en bus ou sur l'un des vélos de location dont s'est dotée la ville. Je marchais sans but précis, je regardais les immeubles et les parcs, les vitrines, les gens. Je suis allé au cinéma voir des films souvent sans intérêt, parfois surprenants. J'ai passé des heures assis sur un banc ou sur les marches d'une station de métro, à écouter un mauvais musicien massacrer les mêmes mélodies. J'ai passé des heures dans le parc Lafontaine, sur le port, à l'oratoire Saint-Joseph, au sommet du Mont-Royal, au cimetière Côte-des-Neiges. Ou sur un banc du parc Duplantie, jusqu'à la nuit tombante.

Je tuais le temps.

Je ne savais pas quoi faire. Pouvais-je retourner au CRIE comme si de rien n'était ? Devais-je remballer mes affaires et repartir en France ? Deux personnes étaient mortes pendant les jours qui avaient suivi mon arrivée et, même si je n'en étais pas directement responsable, il était certainement difficile aux collègues de Hugh et de Malvina de ne pas m'associer à leur disparition. J'avais honte.

J'ai aussi passé beaucoup de temps avec Don, à aligner

les bières sans dire un traître mot dans l'appartement au-dessus du *Disco Volante.* Quand je rentrais rue Ferron, j'évitais soigneusement l'emplacement habituel du camion de « La nuit dans la rue ».

Un matin, Julie est venue frapper à ma porte et m'a invité à passer prendre le café chez Owen. Joshua jouait avec leur fille. J'ai compris en le voyant qu'il n'était pas près de renier sa vocation, mais qu'il n'abandonnerait pas Julie et Alice non plus. Comme sa mère, il avait choisi une voie difficile. Mais il avait décidé de l'assumer sans mensonge.

Owen est resté plusieurs jours dans un coma stable. Joshua et Julie allaient le veiller à tour de rôle, et y emmenaient parfois Alice. Je ne sais pas si Joshua a parlé à Owen, ni ce qu'il lui a dit, mais j'aime penser qu'il a eu le temps de faire la paix, sinon avec son père, du moins avec lui-même.

Je sais en revanche que Jennie, elle aussi, s'est rendue au chevet d'Owen. Avec Hypathie. Et qu'elle a parlé à Joshua.

Et lorsque, conformément aux instructions qu'Owen avait laissées, le moment est venu de le désintuber, Joshua et Jennie étaient là, près de lui.

Le jour du suicide de Hugh, après avoir répondu aux enquêteurs, je suis rentré rue Ferron et je me suis couché. Tard dans la nuit, Réjane est venue me rejoindre. J'avais laissé la porte déverrouillée pour qu'elle puisse entrer et se glisser près de moi. Dès que j'ai senti sa présence, je me suis collé à elle et je me suis endormi. Je ne pouvais pas faire l'amour ce soir-là, je n'ai pas pu les soirs suivants non plus. Et, chaque matin, quand elle sortait de la douche, s'habillait et posait un baiser sur mes lèvres avant de partir travailler, je me disais : « Elle ne reviendra pas. Qui voudrait d'un homme qui dort comme un enfant et ne sait rien faire d'autre ? » Mais chaque soir, elle est revenue.

Un matin, une demi-heure après son départ, j'ai entendu un téléphone sonner. J'ai cherché partout autour de moi et j'ai trouvé un cellulaire posé sur une chaise, à deux mètres du lit. L'écran affichait « Réjane ».

— Ça va ?

— Euh... oui. (J'ai regardé le cellulaire et je l'ai remis à mon oreille.) D'où il sort, ce téléphone ?

— C'est pour toi. J'ai envie de savoir où tu es, ce que tu fais. Ça t'ennuie ?

— Non... Bien sûr que non. Merci ! Bon, en dehors de Don et de toi, je sais pas trop qui appeler, mais c'est bien...

— J'ai enregistré tous les numéros dont tu as besoin.

— Okay...

— Je te laisse. À plus tard.

— À plus tard...

J'ai posé le cellulaire sur la chaise et je suis allé me faire un café. Il était plus de 9 heures. Mon ordinateur portable était posé sur la table ronde, dans la petite cuisine. Je l'ai allumé et, pour la première fois depuis deux semaines, j'ai ouvert ma boîte courriel.

J'avais une centaine de messages en attente. Les trois quarts venaient du CRIE. Des appels à contribution pour des revues, des transferts de messages téléphoniques, des invitations à des colloques dans ou à l'extérieur de Montréal, à l'U de M, à McGill, à Concordia. J'étais sur la liste de diffusion du CRIE depuis mon arrivée et je recevais tous les messages. Personne ne m'avait effacé.

Il y avait aussi des messages personnels de Marlon, de Jennie, d'Adélaïde, de Leonard. Ils m'invitaient, avec les autres membres du CRIE, à me joindre à tel repas chez l'un, à tel « BBQ végé » chez l'autre...

Le message le plus récent venait de Jennie. Il disait simplement : « Quand revenez-vous au CRIE, Charly ? Vous nous manquez. »

J'ai senti ma gorge se serrer. J'étais en train de lui

répondre un long message plein de remords lorsque mon cellulaire a sonné. C'était Marlon.

— Hé, l'ami, ça vas-tu ?

Gêné, j'ai répondu :

— Ça va... Quoi de neuf ?

— Eh bien, j'ai reçu un paquet pour toi ce matin et je me demandais si tu passes aujourd'hui au CRIE ou si tu veux que je te le dépose rue Ferron, c'est sur mon chemin...

J'avais entendu Marlon me dire, les premiers jours, qu'il habitait près de la station Henri-Bourassa. Mon appartement n'était pas du tout sur son chemin. J'ai eu envie de l'embrasser.

— Marlon, tu es un frère, mais je me préparais justement à partir. On se voit tout à l'heure.

— Bonne nouvelle ! Pasque bon, faut pas oublier que t'es là pour travailler ! Et ton ordinateur s'ennuie. Si tu le laisses tout seul, on te le reprend !

— Touche pas à mon ordi, j'arrive !

*

À midi, ce jour-là, dans la salle de réunion du CRIE, on fêtait le départ d'une chercheuse roumaine et l'arrivée de deux nouveaux professeurs invités, venus d'Espagne et d'Italie. Chacun avait apporté un pain de viande ou une salade, un gâteau ou une tarte, des chips ou une bouteille de jus de fruits. J'ai ouvert le paquet que Marlon avait reçu. Il contenait deux boîtes métalliques bourrées de petites galettes et de cigares aux amandes que l'une de mes tantes m'envoie, rituellement, chaque printemps.

Tout le monde m'a demandé comment ce trésor avait pu passer la douane.

« Au culot, probablement », a lancé Leonard.

Après ce pique-nique improvisé, chacun est reparti vers son bureau. Je me suis assis devant l'écran du Mac.

Derrière moi, j'ai entendu frapper. Jennie me rapportait celle des deux boîtes métalliques qui n'avait pas encore été vidée.

— Vous lui demanderez la recette, n'est-ce pas ?

— Comptez sur moi.

— Je suis contente que vous soyez revenu, Charly.

— Moi aussi, Jennie.

— Moi aussi, a lancé Adélaïde en passant dans le couloir.

Jennie m'a souri avant de disparaître.

Mon écran s'est allumé et j'ai vu une fenêtre s'ouvrir spontanément sur le fond d'écran.

C'était Skype, le programme de communication.

Une sonnerie a retenti et la phrase « Étretat 22 vous appelle » s'est affichée.

J'ai cliqué sur « Accepter l'appel ».

— Comment vas-tu, toubib ? m'a demandé une voix sans visage.

Une image s'est formée sur mon écran. Le visage hâlé, tout de blanc vêtus, installés dans de larges fauteuils de paille, un grand sourire aux lèvres, Raoul, Claude et Jean levaient leur verre à ma santé.

En les voyant si heureux tous les trois, j'ai enfin compris que, parfois, pour se remettre à vivre, il faut savoir larguer les amarres.

Ce soir-là, en sortant du CRIE, j'ai appelé Réjane, je l'ai emmenée souper et, quand elle m'a raccompagné rue Ferron et s'est glissée près de moi, je ne me suis pas endormi. Au petit matin, comme elle n'avait pas dormi non plus, j'ai appelé le Service des Crimes Majeurs pour dire que j'étais son médecin, qu'elle n'était pas en état de travailler ce jour-là et que je lui avais ordonné une journée de repos.

Mais elle ne m'a pas laissé la reposer.

ÉPILOGUE

Les invisibles

Parc Duplantie, lundi 21 juin, 17 h 30

Je suis assis sur un banc, un livre à la main, lorsque Réjane se gare rue Ferron. J'attends qu'elle descende de voiture pour lui faire signe, mais elle m'a déjà vu et traverse pour me rejoindre.

Elle s'approche, se penche vers moi pour m'embrasser, se laisse tomber sur le banc.

— Tu es allé au CRIE, aujourd'hui ? J'ai appelé tout à l'heure, mais tu n'étais pas dans ton bureau. Et ton cellulaire ne répondait pas.

— Oui, j'étais fatigué, je suis rentré plus tôt. Mon cellulaire est resté à l'appartement. De toute manière, je savais que tu me trouverais... Tu trouves toujours ton homme.

Elle me prend la main.

— Ça va ? dis-je.

— Ça va. Une journée calme. Personne n'est mort aujourd'hui. Et toi ?

— *Mmhhh*... ça va mieux depuis que tu es là. Sinon,

j'ai encore du mal à digérer le tourbillon du mois dernier... Heureusement, l'équipe reste très soudée, tout le monde a envie que le CRIE et le foyer vivent, alors ça ira, mais...

Elle comprend que je vais recommencer à m'autoflageller, alors elle m'interrompt.

— T'sais-tu qu'à toi tout seul tu as fait baisser la médiane de délai de résolution des affaires criminelles à Montréal ? Elle est de cent quatre-vingts jours et toi, tu nous as aidés à résoudre cette affaire en quarante-huit heures !

Je ris.

— J'étais là au bon moment, au bon endroit... Et j'ai été aidé. Merci, Réjane.

Et merci, Raoul...

Je la regarde et je soupire.

— Tu sais, j'ai du mal à te penser en flic, dis-je. Ou en « flique » d'ailleurs.

— Je le suis, pourtant. Et j'aime ça...

— Mais pour moi, tu es une femme... Enfin, d'après mes dernières constatations...

— Oui, je suis femme *et* flic. Comme toi, t'es homme *et* médecin. Et français, malheureusement...

— Eh oui. *Nobody's perfect.*

— Alors, tu feras comme moi, faudra que tu t'en accommodes... Ma supérieure m'a convoquée tout à l'heure. Le procureur général du Québec a définitivement classé l'affaire. Le coupable est mort, tu ne seras pas appelé à témoigner.

— Et Gerry ?

— Il ne sera pas poursuivi pour violences, puisqu'il était drogué. Mais en échange, il doit se faire suivre dans un centre de santé mentale.

— Okay. Et les poursuites contre WOPharma pour expérimentation illégale et distribution de substances toxiques ?

Ma question semble l'agacer.

— Ça suit son cours. WOPharma a proposé une indemnisation aux familles des victimes... Mais c'est pas ça qu'est important, *calisse* !

Je la regarde. Elle me fusille des yeux.

— L'important, c'est qu'on peut recommencer à se voir. *Officiellement.*

Je me donne une grande tape sur la cuisse.

— Ah, quel soulagement ! Je serai plus obligé de te cacher sous la couette chaque fois que Don vient regarder un film...

Elle soupire et son visage de petite fille réapparaît.

— Tu te souviens de ce que je t'ai dit, la première nuit ?

Je pose ma main sur sa joue.

— Tu parlais beaucoup. Moins que moi, mais quand même...

— J'ai dit que si tu ne me plaisais pas, je te rendrais à Adélaïde dans l'état où je t'avais trouvé.

— Ah oui, c'est juste. Alors, t'as réfléchi, tu reprends ta brosse à dents et tu me cèdes à Adélaïde ?

— Jamais dans cent ans ! J'y ai dit que tu n'es plus sur le marché, pour une durée... indéterminée.

J'affiche un air détaché.

— Ah bon ? C'est gentil de me prévenir...

— Ça te... turlupine ? demande-t-elle avec un sourire malin.

— Pas du tout ! Je suis un grand paresseux, j'ai pas envie de faire l'effort de m'adapter à une autre blonde. Celle-ci me va très bien...

— Je vais pas être tout le temps disponible...

— Ça tombe bien, je ne veux pas non plus t'avoir sur le dos en permanence. Don veut m'emmener dans toutes les boîtes du Village[1].

1. Quartier gay de Montréal.

Elle lève les yeux au ciel.

— Sérieusement ! Je peux être appelée à n'importe quelle heure du jour ou de la nuit...

— J'ai vécu chez un copain qui était procureur, et j'étais son médecin légiste préféré...

— Et t'sais-tu que je suis armée et que si une nuit j'te trouve pas seul au lit...

— Oui. J'ai même eu ton calibre sous le nez.

— Ça ne te fait pas peur ?

— Non.

— Tu peux te contenter de moi ?

— J'ai des romans à lire, des films à voir, des invitations à des colloques, des articles et peut-être des livres à écrire. Je peux me passer de toi pratiquement tout le temps...

— Tu ne vas pas regarder les autres femmes ?

— Ah, faut pas trop m'en demander, je ne suis pas aveugle ! Mais j'éviterai de les regarder au lit...

Elle hésite une seconde.

— Et ta copine, là... Dominique. La psychiatre de Sherbrooke ?

— Elle vit avec un endocrinologue ; ils ont eu une petite fille l'an dernier...

— Tu le savais pas en venant ?

— Non. J'ai appris ça par hasard, la semaine dernière.

— Pourquoi tu me l'as pas dit ?

Je me tourne vers elle, avec un sourire amer.

— Tu veux que je te parle *aussi* des femmes avec qui je suis sûr qu'il ne se passera rien ? T'es drôlement accro...

Ses yeux se sont embués.

— Je *veux pas* m'attacher à toi, dit-elle. C'est pour ça que je te parle comme ça.

Brusquement, je comprends, je prends doucement son visage dans mes mains.

— C'est pour ça que tu disais : « Tu es français, malheureusement... » Tu te dis que je vais repartir...

— Oui. Et je ne veux pas... te demander de rester.

— Mais j'ai *envie* de rester ici, Réjane. Je suis bien, ici.

— Même si, à peine arrivé, tu as été mêlé à cette sombre histoire ?

— L'histoire était sombre, toutes les personnes concernées ne le sont pas. À propos ! Sais-tu qu'un éditeur parisien m'a proposé un paquet de fric pour écrire un livre relatant toute l'affaire.

— Tu vas accepter ?

— Bien sûr que non ! Jamais je ne livrerais les secrets qu'on m'a confiés... (*Et je suis heureux que le secret de Kathleen ait disparu avec Hugh...*) ... mais ça m'a donné une idée.

— Oui ?

— Quand j'étais étudiant, je lisais beaucoup de romans policiers ; en particulier, ceux de Léo Malet, un écrivain anarchiste qui avait fréquenté les surréalistes. Il a mis en scène son personnage de détective privé, Nestor Burma, dans un cycle intitulé *Les Nouveaux Mystères de Paris*. Chaque histoire se déroulait dans un arrondissement différent. Ces jours-ci, en me baladant avec Don, j'ai eu l'idée d'une série de romans qui se passeraient tous à Montréal, et dont les intrigues décriraient chaque quartier de la ville, son histoire et ses habitants. Tu vois ?

Elle rit.

— *Meurtres sur Côte-des-Neiges* ! *Règlement de compte à Outremont* !

— C'est ça ! Mais avec des titres plus poétiques. *Le soleil naît derrière Hochelaga*, par exemple. Ou *Brouillard sur le pont Champlain*...

— Ça s'appellerait *Les Mystères de Montréal*, dit-elle, pensive. C'est une belle idée. Ça me plaît... Mais, il va te falloir visiter toute la ville...

— Tu me guideras.
— Et faire des recherches.
— Ça tombe bien : je travaille dans un centre de recherches… Et je vais y rester.
Elle bondit.
— Vraiment ? Tu peux ?
— Ils ont envie que je reste. Leonard va renouveler mon poste pour un an ; je vais demander la résidence permanente, chercher un financement pour un projet de recherche de longue durée et postuler à une bourse d'écriture du Conseil des arts du Canada…
— Mais… Et ta… famille à Tourmens ?
— S'ils ne viennent pas me voir avant de rentrer en France, je t'emmènerai à Lermignat leur rendre visite… *Ça fera bien rire Raoul que je lui présente ma sergente-détective…*
— Vraiment ? Tu veux ?
— Oui. Vois-tu, j'ai peur de voyager seul et j'ai besoin d'un garde du corps. Et puis, à Lermignat, les nuits sont fraîches…
— Attends d'avoir senti passer celles d'ici !
— Ouais. On dit ça. Mais pour le moment, j'ai pas vu de neige !
— On est en juin ! Si tu veux de la neige en ce moment, va-t'en donc à Kujjuak[1] !
— *Kujjuak ? C't'à l'aut'boute… Même les Eskimos trouvent ça loin…*
Elle rit, glisse son bras sous le mien, soupire.
— Moi, murmure-t-elle, j'me *turlupine*, comme tu dis… On n'est pas sûrs que ça va marcher, toi et moi.
— On n'est jamais sûrs.
— Alors, je ne veux pas que tu restes pour moi. Je veux dire, pas *seulement* pour moi.

1. Ville du Nunavik, dans le nord du Québec, majoritairement peuplée d'Inuits.

— Je reste pour *moi*, Réjane. Entre autres choses merveilleuses que ce pays peut m'offrir, il y a toi. Mais si la semaine prochaine ou dans six mois tu en as marre, il y a deux célibataires, au CRIE, qui ont pris un ticket. Sans compter toutes les jeunes et jolies étudiantes qui passent là chaque année. Et les innombrables lectrices que je vais conquérir avec mes romans… Alors, je ne me sentirai pas abandonné. Ça te va ? C'est correct ?

Elle me donne un coup de poing sur l'épaule puis soupire et pose un baiser au même endroit.

— C'est correct.

Nous restons silencieux un moment.

— J'ai pas choisi de tomber en amour avec toi, tu sais…

— Je sais. (Je pose un baiser sur ses lèvres.) Moi non plus. (Elle m'en donne un à son tour.) On choisit pas. (Un autre.) Ça nous tombe dessus. (Un autre encore.) Et c'est bien…

Elle se tait encore un long moment.

— Tu crois que Kathleen était amoureuse de Hugh *et* d'Owen, tous les deux ?

Je ferme les yeux. Les silhouettes de Fredric March, Miriam Hopkins et Gary Cooper dansent dans les branches.

— C'était sûrement difficile pour elle, mais oui, je crois qu'elle les aimait tous les deux. Et elle aimait peut-être aussi Leonard…

— Elle a choisi Owen en sachant que l'enfant qu'elle portait était celui de Hugh… Tu crois qu'elle a fait ce choix par amour, ou parce qu'elle pensait qu'Owen serait un meilleur père ? Ou parce qu'elle savait que sa fortune mettrait son enfant à l'abri ?

— Je ne sais pas, ma belle. Qui sait ce qu'elle ressentait vraiment ? Est-ce qu'elle le savait elle-même ?

Le soleil de la fin d'après-midi éclaire la façade des maisons. Réjane pose la joue sur mon épaule. Je voudrais dire quelque chose qui nous rassure et nous libère. Je voudrais trouver du sens à cette tragédie, mais je sais que je ne peux pas, et que nous n'en aurons jamais le fin mot.

Oui, nous pouvons enregistrer ou imprimer tout ce que nous disons, filmer chacun de nos actes, entreprendre toutes les expertises psychologiques possibles et imaginables, et même répertorier nos gènes et leur emplacement sur nos chromosomes.

Mais nous ne pourrons jamais mettre au jour les forces profondes qui nous poussent à agir : les émotions, les intentions, les dilemmes, les coups de tête, les coups de folie, le tourbillon des tourments et des désirs...

Ces forces-là seront toujours invisibles.

REMERCIEMENTS

Merci à tous les membres du CREUM et du département de Philosophie de l'université de Montréal. Écrire, lire et étudier parmi eux est un privilège et un honneur. Sans compter qu'on n'arrête pas de rigoler…

Merci à celles et à ceux qui, depuis plus de trente ans, me font (re)découvrir les mauvais genres dont ce roman revendique l'héritage : Hélène Oswald, Jacques Baudou, Maurice Frydland, Roland Lacourbe, Christophe Petit, Jean-Jacques Schleret et les regrettés Francis Lacassin et Michel Lebrun.

Merci à celles et ceux, écrivant(e)s et soignant(e)s, qui, à Montréal ou ailleurs, m'ont encouragé ou inspiré avant et/ou pendant la rédaction de ce roman : Jennie Gellé, Adélaïde Veegaert, Selina Kyle et Catherine Chaumont, Pauline Robert, Marieke Failla, Fanny Malovry, Alexis Zadounaïsky, Mona Chollet, Emmanuelle Mignaton, Betty Bednarski, José Lareau, Ryoa Chung, Christine Tappolet, Héloïse Côté, Élise Desaulniers, Geneviève Lefebvre, Flavia Luchino, Sandrine Thérie, Philippe Bagros, Pierre Bernachon, Matteo Coen, Jean-Martin Desmarais, Yves Lanson, Olivier Monceaux, Vincent Berville, David Meulemans,

Rolf Puls, Martin Blanchard, Martin Gibert, Pierre-Yves Néron, Dominic Martin, Matthew Hunt, Daniel Weinstock, les équipes des librairies Olivieri (Côte-des-Neiges) et Gallimard (Saint-Laurent) et les *Chevalier(e)s des Touches*.

Merci à Claude Pujade-Renaud, Daniel Zimmermann, Raphaël Monticelli, Christophe Deshoulières et Marc Lapprand.

Merci à Paul Otchakovsky-Laurens et Jean-Paul Hirsch.

Merci à Armande, Claudie, Monique D., Andrée D. et Yves C., Dominique D., Valérie A. et Salomé, Béatrice G., Bryn W.-J., Pascal et Olivier et Patrice, Michèle et Alain, Danièle et Éric, Anne et Jean-Louis, Sylvianne et Bruno, Michel et Jojo, Félix et Sophie, Ariane et Benoît, Nicole et Mick, Mélanie et Brice, Oulrika et Pierre, Judy et Jean-Baptiste, Maudinette J. ainsi que Raphaël & Thomas & Paul & Olivier & Léo & Martin – sans oublier les trois Totoro.

Et merci à Vous.

Montréal, 21 janvier 2011
martinwinckler@gmail.com

Table

Composé par Nord Compo Multimédia,
7, rue de Fives, 59650 Villeneuve-d'Ascq

Cet ouvrage a été imprimé
en avril 2011 par

27650 Mesnil-sur-l'Estrée
N° d'impression : 104547
Dépôt légal : mai 2011

Imprimé en France

FLEUVE NOIR
12, avenue d'Italie
75627 Paris Cedex 13